D1013981

Elizabeth Subercaseaux

LAS DIEZ COSAS QUE UNA MUJER EN CHILE NO DEBE HACER JAMÁS

PLANETA

Colección
ROSTROS Y MASCARAS

Inscripción N° 94.390

Olivares 1229, 4° Piso, Santiago (Chile)
Grupo Editorial Planeta

ISBN 956-247-143-8

Diseño de interiores: Patricio Andrade
En portada: *Los amantes*, óleo sobre tela de Botero
Diseño de José Bórquez
Composición: Andros Ltda.

Primera edición: octubre 1995
Segunda edición: diciembre 1995
Tercera edición: enero 1996
Cuarta edición: febrero 1996
Quinta edición: marzo 1996
Sexta edición: mayo 1996
Séptima edición: julio 1996
Octava edición: octubre 1996
Novena edición: marzo 1997
Décima edición: septiembre 1997
Décima primera edición: octubre 1998

Impreso en Chile por Andros Ltda.

Para Angélica y Alejandra, las dos
mujeres más lindas de mi vida, y para
Carlos, el hombre de la casa.

PARA EMPEZAR A CONVERSAR

Recuerdo muy bien el momento en que supe que yo escribiría este libro.

Fue hace unos años, en mi vieja tierra del Maule, allá en el alto de Las Máquinas. Mi amiga Lupe me había convidado a conocer a su abuela que vivía en un lugar perdido entre las montañas del norte de Cauquenes, un lugar encantado donde no había más que silencio, pocas vacas y los suspiros de los campesinos muertos que habitaban los troncos de los eucaliptus viejos.

–Mi abuela te va a gustar, es una de las primeras feministas de estos lados –me iba explicando Lupe en el trayecto hacia aquellas lejanías.

Lupe había pasado la niñez con esa abuela y el recuerdo de su infancia en esos campos colgaba de su memoria como la región más luminosa de su vida. Su abuela lo había suplido todo. Si su padre se hizo humo y su madre murió en algún momento, antes que ella cumpliera los diez años, a ella no le importó. La vieja estaba.

Justina García, que así se llamaba la vieja, se había hecho cargo de moldearle el alma y entibiarle el corazón. "La vida es una herida abierta, hija, una herida abierta que no se cierra jamás, pero yo te voy a enseñar a fabricar tu propio ungüento curativo", le había dicho a los nueve años, y aunque Lupe entendió bien de qué estaba hablando su abuela, se entregó a sus cuidados y a sus enseñanzas con ansia de huérfana. Y aprendió.

Llegamos a Las Máquinas poco antes de caer la tarde. La camioneta se internó en el bosque de pinos siguiendo un sendero estrecho. Recuerdo haber buscado el cielo con los ojos y no haberlo encontrado. Parecía increíble que ese bosque tupido fuera a terminar alguna vez y que en esos lugares más allá del fin del mundo hubiese alguna casa.

Había sombra por todas partes. Y silencio.

–Ya vamos a llegar –dijo Lupe adivinando mi desconcierto.

Luego de unos minutos de andar casi tocando los troncos de los árboles, salimos a un claro de lomajes suaves. En una de las lomas había una casa blanca, destartalada y pobre.

–Ahí no vive tu abuela, ¿verdad? aventuré pensando que no era posible que alguien viviera en esa choza, menos una vieja sola de casi noventa años.

–No, no vive aquí todo el año. Vive en Parral, pero ha venido a asar el verano a su vieja casa porque está escribiendo un libro –me explicó Lupe.

En ese momento, la vieja había salido a encontrarnos, seguramente alertada por el ruido de la camioneta. Venía corriendo loma abajo, con una agilidad de mujer joven, gritando cosas que el viento no dejaba oír. Al reconocer a su nieta se le iluminó la cara.

Llevaba el cabello completamente blanco tomado en un moño, tenía los labios finos, los ojos aindiados y la cara larga de huesos puntiagudos. Un pucho colgaba de su labio inferior y a pesar de su voz enronquecida por el tabaco, no se veía terminada ni mucho menos. Tenía un porte de reina y una mirada vivaz.

Se subió de un salto a la pisadera de la vieja Ford y se fue hablando de lo bien que iba su libro durante todo el camino hacia la casa.

Esa noche, después de comer y casi morirnos, porque la abuela nos había preparado un arrollado de chancho, pequenes y contres de pollo con maíz picante, todo regado con una botella y media de pisco (ella se había tomado una casi entera), se puso a contarnos el origen del libro que estaba terminando de escribir.

"Todo esto empezó por allá por los años treinta, en Chanco", comenzó la vieja, hablando como si estuviese dormida, "y ahora que lo pienso, si no hubiera sido por Gilberto Cancino quizás nunca me habría hecho feminista y, claro, no habría escrito este libro para dejarle algo que valga la pena a mi nieta..."

Gilberto Cancino vivía en Chanco, era un hombre de unos treinta y ocho años ya cumplidos e iba para solterón. No quería casarse. Vivía bien como vivía, en esa casa grande con los tíos y tías y primos y allegados, que habían ido bajando desde Constitución. No necesitaba mujer porque se acostaba con su prima Lucía, y no necesitaba hijos porque Macario, el hijo natural de Lucía, era como su propio hijo.

De haber seguido así las cosas, Gilberto Cancino jamás habría emprendido una aventura tan descabellada como la que emprendió con Justina García, pero tocó que la suerte le cambió de repente, lo dejó boquiabierto frente a la vida y no le quedó más remedio que hacer lo que hizo.

A comienzos de un diciembre se había desatado la peste. Unos decían que eran pulgas blancas que criaban los caballos del patrón de Unihue, otros hablaban de ratas que circundaban las casas abandonadas de San Ignacio y no faltaron quienes culparon a una familia de extranjeros que se había instalado cerca de la ciénaga.

Pero no eran los extranjeros ni las pulgas. Era la influenza.

En una sola noche murieron cinco, la difunta María, el difunto Leopoldo, la difunta Lucía, el difunto Cochate y la abuela Cristina. Al día siguiente los enterraron en un hoyo cavado a toda carrera en un rincón del cementerio familiar. Esa misma tarde murió la madre de Gilberto García primero y su tío Francisco media hora más tarde; pasadas las diez de la noche también había partido doña Challo. Cuando murió Jesús Sánchez se dieron cuenta de que el asunto iba en serio, Jesús tenía consistencia de roble, era el hombre más fuerte de aquellos lados y no estaba llamado a dejar el mundo todavía.

En menos de seis días habían muerto todos en la casa. Hasta Emilia Moena, la ñeca, el difunto Andrés Lovato y la chueca que habían llevado para lechar las vacas, hacía veinte años desde Cauquenes.

–Murieron todos, menos Gilberto Cancino –dijo la abuela de Lupe en esa parte del relato, con una voz tras la cual se advertía un dejo de rabia.

De la noche a la mañana el pobre hombre había quedado con el cementerio de la casa lleno y con la casa vacía.

Andaba a palos con la oscuridad, como ánima en pena, de pieza en pieza, de recuerdo en recuerdo, de dolor en dolor, hasta que ya no pudo más con su tristeza y fue a decirle al único vecino sobreviviente que se iba a casar.

–¿Con quién? –le había preguntado el vecino.

–Con una muchacha que conocí el otro día en el estero La Toribia, por allá por Tapihue –le había contestado él y luego le había explicado que pensaba ir hasta allá en la yegua tordilla y raptarla.

La muchacha se llamaba Justina García, era bien católica y compuesta, no se había casado, no tenía padre ni hermanos y vivía completamente sola.

–¿Para qué la vas a raptar si vive sola? –había inquirido el vecino–. ¿A quién se la vas a robar?

–A quien sea que me salga al camino –había respondido Gilberto con esos aires de macho recio que gustaba darse.

Esa misma tarde partió a buscarla.

Cuando llegó a la casita del estero La Toribia y entró por la ventana del único cuarto, Justina García no opuso la menor resistencia, ella quería casarse, toda mujer que se respetaba debía casarse y no más ver a la yegua tordilla, bajo la ventana, salió de la casa corriendo y montó al anca.

La pareja cruzó el estero casi volando. Cerca de Tapihue encontraron a un cura dispuesto a casarlos sin mayores trámites y al día siguiente llegaron a Chanco recién casados.

En su afán por tener marido, Justina no se detuvo a pensar cómo sería Gilberto Cancino para tenerlo de compañero por toda la vida, él la había buscado para casarse con ella y con eso a ella le bastaba. Y él, en su afán por terminar con la soledad de la casa llena de muertos, tampoco se fijó atentamente en Justina, no le vio el carácter reflejado en las cejas gruesas que se juntaban sobre la nariz estableciendo un puente seguido, ni en la mirada llena de fuerza.

Gilberto Cancino no tenía fina la textura del alma. Manejó mal las cosas. No le dio el tiempo que ella necesitaba para desearlo. En cierta forma, la ofendió. La mujer había consentido en casarse con él y ahora era suya, podía hacer con ella lo que quisiera.

No más bajar a su flamante señora de la yegua, el hombre la llevó a su dormitorio y, sin mediar ningún otro trámite, se bajó los pantalones y dejó al descubierto su miembro duro como un palo, largo como una desgracia, inmenso.

Justina miró aquella cosa y salió corriendo al baño. Allí se miró el agujerito diminuto que Dios le había dado para concebir, y sabiendo de inmediato que aquel pedazo de tronco iba a partirla en dos y a matarla, en cuanto la penetrara, se arrancó por la ventana.

Gilberto Cancino la estuvo esperando ilusionado toda la tarde y toda la noche.

Cuando asomó la madrugada y la ilusión se le convirtió en desconcierto primero y en ira después, salió a buscarla. Registró la casa, el patio, el cementerio familiar y los campos cercanos. Llegó hasta el estero La Toribia preguntando por ella. Siguió más lejos y más lejos. Pero nunca la encontró.

–Esa experiencia me bastó para saber qué es lo que tenía que hacer con mi vida y a partir de ese momento me convertí en feminista –continuó su relato la abuela de Lupe.

Después de esa noche de luna de miel frustrada, buscó refugio en los montes, se fue escondiendo de cerro en cerro hasta llegar a San Ignacio. De San Ignacio se encaminó al alto de Las Máquinas y buscó en esas soledades a Esmeraldo, su tío curandero. Se quedó viviendo con el tío hasta que encontró otro marido y tuvo una hija y su hija a su vez tuvo a su nieta, mi amiga Lupe.

Su vida en Las Máquinas y luego en Parral no había transcurrido en vano. Pudo estudiar y hacerse letrada, y dedicar después aquellos años a la causa de la mujer y ahora, cuando la muerte ya se había fijado en ella un par de veces, estaba escribiendo su libro, único legado que aspiraba dejarle a su nieta.

El libro se llamaba *Las cuatrocientas cosas que una mujer del Maule no debe hacer jamás* y las primeras veinte de esas cuatrocientas cosas tenían que ver con Gilberto Cancino.

Mientras la escuchaba hablar supe que escribiría este libro. Cuatrocientas cosas me parecían muchas. Si realmente hubiese cuatrocientas cosas que una mujer en Chile no debe hacer jamás, mejor nos lanzábamos de cabeza al mar Pacífico y nos olvidábamos del problema. Pero diez sí había y yo me las sabía de memoria.

Regresamos a Santiago y siguió pasando la vida.

Muchos años más tarde, cuando hacía ya bastante tiempo que Justina había emigrado a los potreros de la muerte, su figura alta y delgada se me apareció en un sueño.

Venía caminando como si el suelo no existiera, casi volando hacia mí.

–No te asustes –me dijo al ver mi cara de sorpresa–; sólo vine a preguntarte algo.

–¿Qué cosa? –balbuceé.

–Vamos a sentarnos a la orilla de aquel río y ahí te digo –me dijo señalando un río plateado que corría por el valle, un poco más allá.

Al llegar al río se sacó los zapatones de muerta que andaba trayendo y hundió los pies en el agua.

–¿Qué es lo que vino a preguntarme? –inquirí después de un rato.

–Vine a preguntarte por el libro.

–¿Cuál libro?

–El que ibas a escribir, el de las diez cosas que una mujer en Chile no debe hacer jamás.

–¡Ah! Ya lo escribí –le mentí con esa arrogancia que tenemos los vivos para hablar con los muertos.

Ella me lanzó una mirada extraña, pero no me dijo nada.

Entonces hundí los pies en el río y me quedé unos minutos contemplando mi rostro en el agua. Después me di vuelta, para decirle que era broma, que no había escrito el libro todavía, pero ella ya no estaba.

Desperté sudando y anduve inquieta toda la mañana. La tarde de ese mismo día comencé a escribir... Y ahora quiero dedicar este libro a Justina García y a todas las mujeres de la tierra que se han escapado por la ventana del baño.

LAS DIEZ COSAS QUE UNA MUJER EN CHILE NO DEBE HACER JAMÁS

LA PRIMERA:

TENER UN AMANTE DEMÓCRATACRISTIANO

"Al final,
me cubres todo de angustiosa soledad,
porque presagio que jamás regresarás
y yo sin tu mirar, qué voy a hacer.

Y ya ves,
que aún siendo de tu noche el trovador,
le niegas a mi noche la ilusión
de ver un nuevo día amanecer".

(*Al final*, balada de Roberto Carlos)

A fines de los años sesenta, cuando Isabel Allende trabajaba como periodista en la revista *Paula*, entrevistó a una mujer de la sociedad santiaguina que tenía un amante. La entrevista provocó una fuerte polémica y muchos la consideraron escandalosa, no porque la mujer tuviese un amante, en realidad, sino por las razones que ella esgrimía para tenerlo: porque le daba la gana, para pasarlo bien y porque el jueves era su día libre y no tenía nada mejor que hacer.

El caso de la entrevistada de Allende era, desde luego, un caso bien excepcional en Chile. Las chilenas no suelen tener amantes para tener panorama el jueves ni para pasarlo bien sino porque han quedado solas, separadas, anuladas, viudas o solteras, en una sociedad donde la mujer debe funcionar con un hombre al lado o pagar las consecuencias.

En el tiempo de mi abuela sólo tenían amantes las que eran regias, medio chifladas y millonarias, las demás se quedaban en la casa esperando que pasara la vida, que llegara la muerte y que en el cielo San Pedro, o quien fuera que estuviese de turno a su llegada, tuviera a bien explicarles los cómo y los por qué de sus vidas de casadas.

Hoy por hoy prácticamente todas las mujeres de mi generación (la generación de los sesenta), que han estado separadas alguna vez, han tenido un amante. Esto es un hecho real, así que nadie debe asustarse. Y prácticamente todas las mujeres (de mi generación también) que se encuentran bien casadas y que no se han separado nunca afirman, con plena certeza, que ellas no tendrían un amante jamás. Cosa que casi nunca resulta ser así, puesto que si llegan a separarse, a la hora de esos sábados en la casa vacía, enfrentadas al silencio hostil que las circunda, cuando los niños han partido a la casa del papá, o a la hora de esas vacaciones trabajadas, cuando los niños andan en el fundo o en la casa en la playa de la madrastra y la mamá en Santiago en la oficina... A esas horas todas las mujeres quieren sentirse acompañadas por alguien. Hasta las más beatas, hasta las más conservadoras. La religión y las tradiciones no sirven para aliviar la soledad y la tristeza.

Yo no quiero afirmar aquí, ni siquiera parecer que estoy afirmando, que tener un amante, para paliar la soledad, sea una buena solución. De ninguna manera. Lo bueno es tener un compañero fuera del closet, como Dios manda. Todas las mujeres que han tenido un amante le dirán, seguramente, lo mismo: que es humillante, que la mujer se siente aún más sola, que se siente señalada con el dedo por medio mundo y, desde luego, el problema de la soledad de los sábados no sólo no termina sino que aumenta, porque los sábados el amante está con su mujer y sus hijos, en el fundo o en la casa de la suegra en la playa.

Distinto es tener un amante como la entrevistada de Allende, "porque me da la gana". Eso es otro cuento, es una opción personal perfectamente válida, pero aquí estamos hablando de algo diferente, así que dejando en claro que la solución del amante no es, ni mucho menos, la solución ideal para nadie, sigamos.

Si una quisiera escribir un libro en Chile con las anécdotas sobre distintos tipos de amantes que se cuentan entre amigas, pasaría la vida escribiéndolo y nunca se atrevería a publicarlo. Hay historias cómicas, realmente divertidas, pero casi todas son patéticas y no dan ganas de reír sino de llorar, hombres que alquilan departamentitos amueblados minúsculos en medias con un amigo, amores transpirados y apurados de lunes a viernes a la hora del almuerzo, otros que están con sus amantes el sábado de cuatro a seis y el miércoles de siete a once, unos que salen del país con la amante en el avión de al lado y vuelven al país cargados de regalos para la mujer y los cuatro hijos. Y un tiempo que continúa transcurriendo de manera inexorable, mientras esa mujer espera (aunque no lo diga nunca) que el amante se separe de la suya, deje su casa y se case con ella. Esto también es un hecho real así que tampoco hay que asustarse de decirlo: prácticamente todas las mujeres que tienen un amante esperan dejar de ser la amante para convertirse en la señora. Nosotras fuimos formadas para casarnos, casarnos con libreta y todo digo, con argolla de oro, anillo de compromiso, partes de matrimonio, regalos y entrada a la iglesia del brazo del papá o del hermano si el papá se había muerto. Para eso fuimos formadas, no para otra cosa. No es de extrañar, entonces, que a la hora del fracaso de ese matrimonio y a la hora de la entrada al mundo de las mujeres solas y los amantes, la mujer chilena de mi generación no espere sino repetir la misma historia, casarse otra vez. Y como eso no siempre ocurre, la relación suele ser infeliz y terminar mal. No se necesita ser un genio de las matemáticas para sumar y restar y darse cuenta de que ser la amante de alguien, por lo menos en Chile, casi siempre es doloroso.

Los hombres de nuestra sociedad funcionan igual que la entrevistada de Allende –y es probable que por lo mismo esa entrevista haya sido polémica y considerada escandalosa–, porque ella funcionaba a la manera masculina, no a la manera femenina; tenía un amante porque le daba la gana, el jueves era su día libre y no tenía nada mejor que hacer; por lo general ésa es la relación que los hombres establecen con su amante, y aunque hay muchos que se enamoran, de verdad se enamoran de una mujer que no es la suya y la convierten en su amante, ellos pueden vivir casi sin problemas la dicotomía que una relación así implica. Para una mujer es difícil, casi imposible llevar una vida doble y no inmutarse, de hecho son muchas menos las mujeres que tienen un amante y continúan viviendo con su marido. Así y todo esta historia es tan vieja como nosotras y lo probable es que la ecuación continúe siendo la misma por todos los siglos de los siglos:

mujer sola = un amante

Aceptado el hecho de que la soledad es la más mala compañera de todas y que a nadie le gusta irse a la cama y ver a esa señora de ojos glaucos, que es la soledad, mirándola con tristeza o amanecer ovillada en el fondo de una cama fría y levantarse con pocas ganas, para vivir otro día calcado al que acaba de pasar... Aceptado el hecho de que la descrita es una situación por la que más de alguna vez han atravesado casi todas las mujeres solas y que la vida se pone mil veces más bella con un amor al lado, veamos qué tipo de amor no conviene tener nunca.

Después de todo lo que he visto, escrito, entrevistado, escuchado, reflexionado, viajado fuera de Chile y dentro de Chile, después de haber hablado durante años con amigas, conocidas, entrevistadas, con mi hermana, con mis hijos, con mis sobrinas, con mis primas y mis tías; después de atreverme a afirmar que casi nada me sorprende, que no hay ninguna cosa más distinta de una mujer que un hombre y que yo nunca volvería a decir "esto no lo haría" o "esto sí lo haría"; parada en los cincuenta años que llevo en este mundo, me atrevo a decir que lo primero que una mujer en Chile no debe hacer jamás, es tener un amante democratacristiano.

Los democratacristianos pueden ser encantadores, de hecho lo son, cómo no, como todo el mundo; pueden ser buenos gobernantes, y lo han demostrado, hombres serios, bien intencionados, cultos, de gustos sencillos, inteligentes como toda la gente, buenos padres de familia, llenos de cualidades, pero para amantes, no. Definitivamente no. Pregúntele a quien quiera y yo le garantizo que todas las mujeres que han tenido un amante democratacristiano alguna vez, por debilidad, error o extrema soledad, le van a decir lo mismo.

Lo que sólo Dios sabe es por qué algunos democratacristianos tienen amantes, no debieran tenerlas nunca, pero las tienen. Esto también es un hecho y tampoco hay que asustarse de consignarlo como un hecho. Pero la verdad es que no debieran tener amantes porque aquello no va con su identidad, es violento para ellos; por lo general viven inmersos en una extraña poligamia con sus tres mujeres: la mujer legítima, la política y la religión, y si hay un caldo de cultivo donde una amante no tiene en verdad cabida, es precisamente ése.

Decíamos que prácticamente todas las mujeres que tienen un amante están esperando que el hombre se separe y se case con ellas. Si el amante es democratacristiano pueden quedarse esperando para toda la vida, porque ese hombre jamás se va a separar de su mujer, aunque el matrimonio esté roto desde veinte años antes, aunque ni ella lo quiera a él ni él la quiera a ella, aunque esté verdaderamente enamorado de otra mujer. No se va a separar nunca.

Para empezar a conversar: para un democratacristiano no es nada fácil reconocer que tiene una amante, sus correligionarios no van a celebrárselo de ninguna manera, no lo aceptarán fácilmente.

Otra cosa: los democratacristianos suelen tener cinco, siete, nueve o catorce chiquillos y se llenan de nietos antes de los cincuenta años, ¿con qué cara se le explica al familión que el papá anda con otra mujer que no es la mamá, y más si va a misa los domingos con su señora y toda la prole?

Y otra cosa más: en el partido nunca han sido mirados con buenos ojos los juegos amatorios ilegales de los correligionarios. Estas son aventuras que los democratacristianos deben tener mucho más para callados que cualquier otro chileno o pagar las consecuencias.

Toda esta problemática influye, desde luego, en su calidad amatoria, la cual puede sufrir unas ciertas mermas, porque claro, el democratacristiano no está nada de tranquilo con la amante, nada de relajado. Cómo podría estarlo, se encuentra rodeado de peligros serios, peligra su matrimonio, peligra su pega, peligra su carrera política, peligra su imagen pública, los amigos van a dejarlo solo en este asunto, sin duda, y él lo sabe; nadie va a apoyarlo, los suegros no van a estar de su lado, su madre, su padre y su hermano tampoco, ni siquiera su perro.

La sociedad chilena es extraordinariamente conservadora, ningún hombre está muy tranquilo con la amante, en honor a la verdad, pero el democratacristiano menos que ninguno.

Casi todos los amantes suelen tener pesadillas con que los pilla la señora, despiertan sudorosos, se sienten mal, quisieran estar en una situación distinta, se angustian, pero si los sueños de un amante cualquiera son culposos, ¡hay que ver lo que puede ser la pesadilla de un amante democratacristiano!

En su sueño, el amante cualquiera se encuentra en pleno acto amatorio en un departamento que ha arrendado en medias con su amigo Luis y de pronto se abre la puerta del dormitorio del pecado y en el dintel aparece la figura de su esposa Irene. La mujer avanza unos metros hacia la cama del pecado y en eso, se levanta un viento y ella se eleva como un volantín. "Irene", le grita él desesperado e intentando inútilmente emprender el vuelo él mismo para alcanzarla, pero la esposa se va elevando, elevando y se va perdiendo en el cielo hasta quedar convertida en un punto diminuto. El hombre despierta sobresaltado y bañado en lágrimas, se viste a toda carrera, inventa que tiene una reunión importante en la oficina que ha olvidado, y la amante, desconcertada por este súbito cambio de planes, se incorpora en la cama, lanza tres o cuatro suspiros hondos y después también se levanta y se va.

Ese es el sueño de un amante cualquiera.

El democratacristiano sueña con la esposa, con

uno de los Próceres emblemáticos del Partido y con el Obispo. Y su pesadilla es mil veces más culposa y terrible.

En el sueño, él se encuentra en pleno acto amatorio con su amante en un motel parejero cuando de pronto, y el pobre hombre no se explica cómo, se abre el closet y de adentro del closet emerge su mujer Priscila, su Priscila que ha sido su compañera desde el último año del colegio, su Priscila que se casó con él en la iglesia de Vitacura, la madre de sus ocho hijos está ahí...

Ella le clava unos ojos extraordinariamente cristalinos y puros, sin odio en la mirada ni nada por el estilo, pero con una tristeza como de otros mundos, se queda un buen rato observándolo y después se va pisando apenas el suelo, como levitando, y él, traspasado de angustia, la ve alejarse muda y silenciosa.

No más salir Priscila del cuarto, y antes de que el hombre logre reponerse, se abre un tragaluz que hay en el techo y el Prócer emblemático cae sobre la cama, rebota y se levanta de un salto, se detiene unos momentos a los pies del lecho del pecado, lo señala con el dedo, no le dice ni una sola palabra y abandona el cuarto caminando con la cabeza en alto y tan calladamente como llegó.

Acto seguido se abre la puerta de la habitación de par en par y entra el Obispo, se detiene, tal como segundos antes ha hecho el Prócer emblemático del Partido, a los pies de la cama, lo mira fijo a los ojos, no le dice nada, y sale de la habitación meditabundo.

No es necesario agregar que después de semejante pesadilla el amante democratacristiano da por terminada la relación.

Yo me acuerdo que hace muchos muchos años, a una buena amiga mía se le acabó el matrimonio cuando su marido se enamoró de otra mujer. Éramos jóvenes e indocumentadas, de la vida no sabíamos casi nada, nunca habíamos oído ni hablar de la posibilidad de tener un amante, en esos tiempos todavía se consideraba que el matrimonio era uno solo y para toda la vida y los amantes eran una cosa más bien prohibida y más bien romántica que sólo le había ocurrido a una que otra abuela premoderna.

Mi amiga, quien no había cumplido los treinta años, entró de lleno a un mundo que le era perfectamente desconocido: el mundo de las mujeres solas. Pasó por la tristeza de la casa vacía los sábados en la tarde, las pascuas comiendo patas de pollos con los dos chiquillos llorando, la búsqueda de un trabajo más o menos bien remunerado donde el jefe no pasara medio día convidándola a la cama, el abogado del marido torturándola por cualquier cosa y todas las miserias que deben enfrentar en Chile las mujeres jóvenes y recién separadas.

Estuvo un buen tiempo sola, espantándose los problemas con las dos manos y sintiendo los ramalazos de su mala suerte, hasta que se enamoró de un compañero de trabajo.

Al comienzo ella intentó hacerle el quite a la relación, el compañero de trabajo era casado, pero entre que él insistió y ella andaba a palos con la soledad se hicieron amantes.

Cuento corto: mi amiga salió de esa experiencia completamente estragada y jurando que nunca más en toda su vida tendría un amante democratacristiano.

El amante lo pasaba tan mal con la relación y andaba tan neurótico, que en los dos años que duró el romance asistió a cinco terapias con distintos sicoterapeutas. Y ahora que lo pienso caigo en la cuenta de que ese pobre hombre casi se volvió loco por causa de su relación sentimental con mi amiga. Y cómo no iba a volverse medio loco si en esos dos años su mujer quedó embarazada dos veces, uno de los niños se perdió, aunque el otro nació sin problemas, y él intentaba explicarle todo esto a mi amiga, al mismo tiempo que le decía que en cuanto su mujer dejara de tener guaguas él se iba a separar de ella.

Hay quienes aseguran que en el fondo de estas realidades yace el hecho –y puede ser cierto, por qué no– de que los democratacristianos son más buenas personas, mejores padres de familia, menos ligeros de cascos y mucho menos frívolos, les cuesta más hacer sufrir a sus mujeres y no están dispuestos a sacrificar su vida familiar por una aventura con una amante, ni siquiera por un amor verdadero, la familia es realmente importante para ellos, más importante que para cualquier chileno; ellos pueden echar una "canita al aire", no hay problema, pero la casa, la mujer y los chiquillos, constituyen una fortaleza intocable.

Otras mujeres son menos benevolentes y opinan que todo eso son patrañas, que los democratacristianos son idénticos a cualquier cristiano, si realmente les importaran tanto sus mujeres, la estabilidad familiar y la opinión del Prócer emblemático del Partido y del Obispo no tendrían amantes.

Y por último, hay mujeres más escépticas que opinan que todos los hombres son iguales, la amante es un asunto completamente secundario para ellos y el único problema extra que tienen los democratacristianos es que su compromiso con la Iglesia Católica es mayor que el que pueda tener un socialista, por ejemplo, o un hombre de la derecha quien, en general, es bautizado, va a misa los domingos y todo, pero a la hora de la amante la Iglesia le da lo mismo.

El amante democratacristiano aparece en el horizonte de la mujer con el mismo fulgor con que llegan los otros amantes. Con la misma cara de poeta, la misma filosofía de solitario. Diciendo casi las mismas cosas: su mujer no lo comprende, o le pega los martes, o se llevan mal, sexualmente no se entienden, o está tan ocupada con los ocho chiquillos que a él ya no le habla, no se interesa por sus cosas, la política le da lata y para él la política es importante…

¡Ahí!, cuando el hombre pronuncie esa frase y usted le pregunte en qué partido milita y él le diga que es democratacristiano, váyase. Termine la relación antes de que empiece. Miré la hora y dulcemente anúnciele que ya es demasiado tarde, está amaneciendo, tengo que volver a mi casa. Guarde su paquete de cigarrillos (si todavía fuma), dígale "Nos vemos otro día", con toda la ternura de que es capaz su corazón, pero sabiendo que no va a verlo, y salga a la calle.

Afuera se encontrará con un silencio gratificante, todo el mundo está dormido, de pronto pasa una moto espantando a las estrellas y luego vuelve el silencio. En lo alto de la cordillera comienza a nacer la luz y usted ya va caminando de vuelta a su casa, cantando bajito esa hermosa canción que ha vuelto a poner de moda el dúo Amanecer: *rayando el sol, me despedí...*

Acaba de librarse de lo que pudo ser el problema más serio de su vida.

LA SEGUNDA:

VIVIR SOLA ANTES DE CASARSE

"Es un buen tipo mi viejo
que anda solo y esperando;
tiene la tristeza larga
de tanto venir andando.

Yo lo miro desde lejos
pero somos tan distintos
es que creció con el siglo
con tranvía y vino tinto.

Viejo, mi querido viejo.
Ahora ya camina lento
como perdonando el viento.
Yo soy tu sangre, mi viejo
soy tu silencio y tu tiempo".

(*Mi viejo*, balada de Piero José)

En Chile las mujeres no se van de la casa del papá hasta que el marido se las lleva, y sin ningún marido se la lleva, tendrá que quedarse hasta que al papá le dé vergüenza.

–Mijita, usted está por cumplir los cuarenta y fíjese que ayer, no más, González me preguntaba en la oficina: "Oye, dime una cosa, Ariztía, ¿hasta cuándo piensa vivir contigo tu hija Alejandrina?"

En ese momento la chiquilla –que ya no es tan chiquilla y que anda bordeando la menopausia– puede abandonar la casa paterna con toda libertad. Antes, no.

La independencia es algo perfectamente válido para los solteros, pero en las jóvenes es mal visto, de mal gusto, peligroso.

La mujer que intenta rebelarse contra esta norma terminará pagando un precio alto por su libertad y muchas veces se encontrará pensando: "Habría sido mejor transar y no haberme ido de la casa".

La primera barrera la encontrará en el propio papá, él es casi siempre el primero en oponerse.

Si su hija se le va de la casa, la condena social caerá sobre su cabeza y la de su señora: han sido malos padres, no se ocupan de sus hijos, algo raro ocurre en ese hogar para que la niña quiera abandonarlo... Así que olvídese de contar con su apoyo.

Pero si las ansias de libertad son más grandes que la capacidad de transar, conviene tener en cuenta que vivir sola antes de casarse es remar contra la corriente y remar contra la corriente siempre es problemático.

Problema uno:

–Mire, mijita, eso de la independencia femenina será en Inglaterra y en Estados Unidos, pero en Chile las mujeres viven en la casa de sus padres hasta que se casan y usted es chilena, además es hija mía, se queda en su casa como todo el mundo y yo no quiero seguir hablando de este asunto.

Javier Pérez del Canto, 48 años, gerente general del banco, pesa 80 kilos, toma pastillas para los nervios, tiene el pelo completamente blanco y una vez al mes sueña con que va cayendo y cayendo a un pozo sin fin.

Es el papá.

–¿Y usted cree que las chilenas, que además son hijas suyas no tienen derecho a independizarse? ¿Y cuando usted se enamoró de la Andrea y se fue de la casa y nos dejó a todos tirados, quién le dijo que los papás se tienen que quedar cuidando a las hijas hasta que se casen?

Eso es algo que una hija no debe decirle al papá, pero una vez cometido el error, hay que pagar la consecuencia:

–Mire, señorita, usted no es la persona más indicada para juzgar a su padre. La Andrea ha sido una excelente mujer para mí y nunca dejé tirado a nadie, pero ¿quiere que le diga una cosa? Váyase al diablo, independícese, viva su "vida" entre comillas, póngase en ridículo y de paso pónganos en ridículo a todos, que la gente la pele a destajo, conviértase en una suelta, haga lo que quiera, pero yo no le doy un peso.

Eso es algo que un papá tampoco debiera decirle a su hija, pero es lo primero que dicen todos.

–¿No me va a dar un peso? Está bien. No me dé. Duermo debajo de un puente, en la calle, en el departamento de la Carola, me da lo mismo, pero yo me voy.

Antonia Pérez del Canto, 20 años, preciosa, amante de los cuentos de Cortázar, de Hugh Grant y de Bob Seager, militante activa del MOP (Movimiento de Oposición Permanente), estudiante de periodismo en la Universidad Andrés Bello.

Es la hija.

Problema dos:

–Yo no sé qué hacer, Javier, la Antonia está cada día más inaguantable, hace una semana que no me habla, quiere vivir sola, dice que ella es perfectamente capaz de arreglárselas, ¿por qué no hablas tú con ella?

–Ya hablé.

–¿Y qué le dijiste?

–La mandé al diablo.

–No me extraña nada. ¿Tú crees que mandándola al diablo se le van a terminar los problemas? Oye, Javier, quiero decirte algo: tú eres el primer culpable de todo lo que pasa, que no se te olvide. No hay nada más fácil que abandonar a una familia, enviar un cheque al mes y a la vuelta de la vida mandar a los hijos al diablo cuando aparecen los problemas; mira, Javier…

Alicia Eltit, 45 años, anda a palos con la desesperanza, siente que la vida se le fue, todo el mundo gira en torno a sus problemas, reta a las empleadas por cualquier cosa y pasa a dieta, por las tardes se le llena la frente de sombras y se le vuela la voz, algunas noches se levanta a escribir cartas y a veces llora sola.

Es la mamá.

Problema tres:

–La embarraste, Antonia, la mamá anda con una depresión terrible, toma trago hasta las once y echó a la Domitila. ¿No podrías haberte aguantado un poco, como todas las niñas, y haberte quedado en la casa?

–No.

–Lo que pasa es que eres una egoísta, primero tú, segundo tú, tercero tú, todos los papás se separan, no tiene nada de raro y si se llevan como el ajo, lo mejor es que vivan separados. Además, el papá ha sido súper buena persona con nosotros, preocupado, toda la plata del mundo, buen ejemplo, hay otros papás botados a hippies o a lolos que son mil veces peores.

–Yo no me estoy metiendo con mi papá, ni con su manera de ser, él tiene derecho a ser como quiera y hacer su vida a su manera, por lo demás es lo que ha hecho siempre, sin mirarle la cara a nadie, lo único que pido es que me dejen tranquila y que me apoyen, quiero intentar hacer mi vida, comer lo que quiera a la hora que quiera, escuchar la música que me gusta, estar tranquila en mi casa con mis cosas, lo único que pido es que entiendan que no porque viva sola me voy a acostar con Hugo, porque con Hugo me podría acostar igual en el living de la casa o en el escritorio del papá en Cachagua, ¿entiendes?

–Lo que yo creo es que te volviste loca, además a mí me da vergüenza decir que mi hermana se viró y que anda viviendo sola en un departamento, y no es que yo crea que te vas a acostar con Hugo ni con nadie, pero una mujer soltera viviendo sola da mala espina, Antonia, déjate de cuentos, ¿qué crees tú que va a pensar la gente?

–¿Cuál gente?

–Toda la gente, la familia, mis amigos, las amigas de la mamá, la Yayita, el tata, todo el mundo…

José Luis Pérez del Canto, 18 años, estudiante de Leyes en la Universidad Diego Portales.

Es el hermano.

Problema cuatro:
–¿Y usted quiere arrendar este departamento? ¿Tiene cuenta en el banco?

–No.

–¿Trabaja?

–No.

–¿Qué hace?

–Estudio periodismo en la Universidad Andrés Bello.

–¿Y quiere vivir sola?

–Sí.

–¿Quién va a pagar el arriendo?

–Mi papá me va a prestar la plata mientras busque un trabajo.

–¿Quién es su papá?

–Javier Pérez del Canto.

–¿Qué hace?

–Es gerente general del banco.

–¿El responde por usted?

–Sí.

–¿Por qué no vino con usted si él responde?

Ahí cae un silencio.

El hombre se queda mirándola un rato, cierra el libro con hojas plastificadas que estaba hojeando, mira la hora en su reloj y luego de unos momentos de contener su hastío y su impaciencia anuncia que ya van a cerrar la oficina, ¿por qué no vuelve mañana u otro día? O no, mejor dígale a su papá que me llame por teléfono, tome, aquí tiene mi tarjeta.

Se levanta y da por terminada la reunión.

Antonia sale a la calle sospechando que ese

caballero no va a ayudarla en nada y el caballero, por su parte, llama por citófono a su ayudante:

–Oiga, Alberto, si vuelve esta señorita dígale que no hay nada de un dormitorio disponible.

Es el corredor de propiedades.

Problema cinco:

–¿Viste qué rica la mina que llegó al 206? Y dicen que va a vivir solita la pajarita.

–¿No tiene familia?

–Tendrá, pero el departamento lo está arrendando para ella sola. Vino con su papá el otro día, mijita... El viejo parecía bien preocupado por ella, estuvo hablando con el Luis, le dijo que se la encargaba y le pasó unos cuantos morlacos para que el Luis le avisara por teléfono si había algún problema.

–¿Ya se instaló?

–Esta mañana le trajeron las cosas.

–Voy a subir, a ver si necesita algo.

–Subo yo, mejor, quédate tú aquí abajo para que le ayudes con las plantas a la vieja del 709.

–Chis, quédate tú será mejor, esa vieja me tiene hasta la coronilla con sus plantas. Ahora te toca a ti, yo voy a ver a la minita, ¿OK?

Son los porteros del edificio.

Problema seis:

–Oye, perdona que te moleste, se me acabó el café, ¿podrías convidarme un poco?, me dijeron que te habías mudado hoy en la mañana, qué buena onda, ¿y sola?, qué buena onda, ¿a ver cómo es este departamento? ¿Puedo pasar? (ya pasó hace cinco minutos). Ah, es más grande que el mío, el mío es un closet, me ahogo, con decirte que algunas noches ando como en busca de otro un poquito más grande para dormir, ja, ja; no, si era broma, qué buena onda que hayas llegado, ¿almorcemos juntos? Te convido a comernos un sandwich a la esquina, me llamó José Luis, ¿tienes un cigarrillo? Me quedé sin, qué bonito este cuadro, está groso, ¿Antonia cuánto dijiste que te llamas?

Antonia no ha abierto su boca, jamás le ha dicho su nombre, es la primera vez en la vida que lo ve, pero él ya sabe que acaba de arrendar ese departamento, que va a vivir sola, que el papá le paga el arriendo, que el viejo le pasó unos morlacos a Luis para que la cuidara y que se llama Antonia.

–¿Te importaría dejarme tranquila desempacar mis cosas?

–Perdona, no quise molestarte, sólo quería pedirte un poco de café y darte la bienvenida, ¿a ver el baño? También es más grande que el mío, ¿cuánto pagas por este departamento? ¡Déjame adivinar! Cien mil, ciento cincuenta…

Es el vecino.

Problema siete:

–Para qué te digo, man, llegó una mina preciosa al edificio de Cotelo Andueza. La suertecita.

Esta noche vamos a tratar de caerle de sorpresa, pasa llena de amigas, parece que se juntan a estudiar...

Son los amigos del vecino.

Problema ocho:

–Pobre Alicia, ¿supiste lo que le pasó ahora? La Antonia se le fue de la casa, primero se fue a vivir al departamento de esa niñita espantosa, la hija de Martín Zulueta, que dicen que es drogadicta y que vive sola desde que tenía veinte años, y después le dobló la mano a Javier y Javier terminó arrendándole un departamento en Lota con Luis Thayer Ojeda.

–No te creo.

–La pobre Alicia está con una depresión tremenda, sintiéndose culpable, tomando como mala de la cabeza, yo le recomiendo a Otto Klein, un siquiatra de la vieja escuela, serio, no como esos sicólogos rupturistas de la nueva onda, que andan pasados a la marihuana y les tiran el tarot a las pacientes.

–Medio maricones, además.

–También.

–¿Y esa niñita se hace la cama sola, se cocina, se lava la ropa, se hace el aseo y todo?

–¿Cuál niñita?

–La Antonia.

–Supongo, pero eso es lo de menos, por último la Alicia puede mandarle a la Domitila un par de veces por semana, aunque creo que a la

Domitila ya la echó, pero puede mandarle a cualquier maid, el problema es que cómo le controla al pololo. Y no sólo eso, cómo le espanta a la pila de viejos verdes que les caen encima a estas mocositas que les da por vivir solas. ¿No supiste lo que le pasó a la hija de la Lila Antúnez?

–No.

–Fíjate que esta niñita estuvo tres meses estudiando inglés en la universidad de Georgetown, en Washington, y llegó completamente sublevada con el feminismo, llegó hablando de los derechos de la mujer, imagínate, al más puro estilo marxista, encontrando que nosotras las chilenas somos un racimo de retardadas y diciendo que la Martita debería parecerse un poco más a la Hillary Clinton y un poco menos a su mamá. Pero eso no es nada, espérate un poco: se declaró partidaria del aborto y del lesbianismo, ¿te das cuenta?, el pobre Arturo casi se murió, y, además, se puso a dar charlas sobre cómo combatir el acoso sexual en la oficina. ¡Y cobraba por las charlas!

–¿La Catalina o la Gracia?

–La Catalina, pues... Noooo, la otra es un amor de niñita, la cosa más dije del mundo, pololea con Agustito Mandiola.

–¿Y qué pasó después?

–Bueno, como te decía, llegó hecha un adefesio, no se le podía hablar y como en marzo le bajó con que quería vivir sola, ya no daba más en la casa, su papá y su mamá eran demasiado beatos para ella y reaccionarios, ella quería vivir su vida como mujer y no como muñeca del pobre Arturo que la miraba con cara de horror. Ay, Pili, me dijo una noche, esta niñita va a matarnos, con la Lila hemos hecho lo imposible por darles a los niños un hogar estable, una familia que se quiere y se respeta y creo que lo hemos logrado, estos niños nunca han visto una mala cara en esta casa, nunca han escuchado un grito, la Lila los adora, les ha dado hasta su alma y yo también y mira lo que nos pasa con la Catita.

–Pobre Arturo… ¿Y qué pasó?

–Pasó que la Catalina se fue a vivir sola a un departamento que Arturo terminó arrendándole cerca de la casa de ellos y adivina…

–Qué.

–¿Te acuerdas de José Armando Calloso, ese medio loco que era amigo de Arturo cuando éramos jóvenes y que Arturo nunca más volvió a ver porque se metió con Silo y después se metió a los verdes y ahí en los verdes creo que tuvo un lío con un hippie y no sé qué cosa?

–Sí, me acuerdo perfectamente bien, no me digas que ese viejo se metió con la Catita.

–El mismo. Vivía en el piso de abajo del edificio y qué me dices tú que un día llega Arturo a ver a la Cata ¿y qué se encuentra? A la Cata medio histérica porque el viejo degenerado trató de metérsele al departamento y fíjate que…

Son las amigas de la mamá.

–Sí, en Chile las mujeres deben vivir en la casa del papá hasta que el marido se las lleve. Si no se las lleva nadie y ya están por cumplir los cuarenta años, también pueden vivir solas. Y si se quedan esperando guagua y deciden criar a su guagua ellas mismas y no en la casa de la mamá, tampoco es mal mirado que vivan solas. Pero soltera, sin guagua, linda, con o sin pololo, estudiante de entre veinte y treinta años, quiere vivir sola porque sí... Ahí no, ahí es mal visto y el peso de la noche va a caerle encima.

Más allá de una lluvia de etiquetas que van a colgarle los conocidos y sobre todo los desconocidos, tendrá que pasarse media vida demostrándoles al papá y a la mamá y a las primas y a su hermano y a los amigos de su hermano, que ella es de fiar, que no se está acostando con el pololo ni más ni menos de lo que se acostaba con el pololo mientras vivía con sus padres, que es capaz de hacerse la cama sin que le manden a la Domitila, que lava la ropa, que no se le incendia el departamento, porque ella sí desenchufa la plancha antes de irse a la universidad y come todos los días, como toda la gente, comidas normales preparadas por ella misma y no puras pizzas compradas en la esquina, como le dijo su papá un día.

Todo aquello deberá explicarlo, si es que logra saltar otra barrera: la desconfianza de la dueña del departamento.

Una vez que el papá habló con el corredor de propiedades, dejó el cheque de garantía y le pidió al corredor que le mandara la cuenta del arriendo a la oficina, falta convencer a la dueña.

Es que la señora acaba de arrepentirse de arrendarlo; en cuanto se enteró que su nueva arrendataria tenía veinte años se echó para atrás. "No, no, no, yo no se lo arriendo. ¿Por qué no me dijo que la interesada tenía veinte años? A los veinte años yo andaba jugando a las muñecas, pero en el mundo de hoy hasta estas cosas se están viendo. Veinte años y ya quieren vivir solas. No, no, no, olvídelo, yo no se lo arriendo. Estas niñitas andan haciendo fiestas con hombres y hasta les dan trago, me van a manchar la alfombra de nuevo, fíjese que el año pasado le arrendé el departamentito a una de estas hippies que parece que no tuvieran ni papá ni mamá y que hubieran nacido de alguna espora y para qué le digo cómo lo dejó, la hippie pegó flores de papel en la pared de la cocina, dejó todo hecho un desastre y después uno que dijo ser el tío se negó a pagarme la pintura. Tarde vine a enterarme, gracias al portero, que la hippie no vivía sola sino con uno vestido de Jesús, con el pelo amarrado en una trenza y pasado a marihuana. Cuando fui a recibir el departamento casi me desmayé. Habían escrito Viva la Vida bendito sea el amor con spray en una muralla del pasillo y otras consignas y cochinadas que no quiero ni acordarme... No, no, no, olvídese, yo no se lo arriendo".

LA TERCERA:

ASPIRAR AL PODER Y DESTACARSE

"Sombras nada más,
acariciando mis manos;
sombras nada más,
en el temblor de mi voz.

Pude ser feliz
y estoy en vida muriendo
y entre lágrimas viviendo
el pasaje más horrendo
de este drama sin final".

(*Sombras*, bolero de
Rubén Méndez)

Lo primero que hay que tener en cuenta, cuando a una le entra la loca idea de aspirar al poder en Chile y la más loca creencia de que va a lograrlo, es que ésta es una sociedad organizada por los hombres para los hombres y por lo tanto el esfuerzo que tendrá que realizar será muy superior al de cualquier varón.

Los hombres se deslizan por la vida chilena con suavidad y dulzura, la cabeza en alto, el cabello al viento, sonriendo, como si se tratara de una cancha de esquí especialmente acondicionada para ellos.

Las cosas parecen estar siempre a su disposición. Los créditos bancarios, los buenos negocios, los asientos parlamentarios, los buenos sueldos, las presidencias de los partidos, los cargos directivos en los medios de comunicación, la gerencia de los bancos, los ministerios, los puestos en la Bolsa de Comercio.

A veces pienso que ser hombre debe ser lo más delicioso del mundo, como vivir en un mundo de duendes, donde las puertas se abren solas y las cosas se solucionan por arte de magia.

Los créditos se otorgan a sola firma, la cama amanece deshecha, pero en la noche está ordenadita, la chaqueta se manchó y, chas, él cerró y abrió los ojos, y la chaqueta está de vuelta de la tintorería, le da hambre y la comida está servida, quiere evadirse porque está cansado y estira la mano y se encuentra con un vaso de whisky, quiere bajar de peso y la sirven un bistec a la plancha, quiere dormir la siesta y le hacen callar al chiquillo.

Algo milagroso.

La jornada de trabajo de un ejecutivo, por ejemplo, suele transcurrir sin mayores tropiezos y a la hora de compararla con la jornada de trabajo de una ejecutiva dan ganas de llorar.

El ejecutivo sale de la casa en la mañana, entra a su auto, enfrenta la Costanera escuchando la Cooperativa y, fumándose el primer cigarrito del día, llega a su oficina preguntándole a la secretaria si hay novedad o si se acordó de tal cosa, se encierra en su despacho y trabaja.

Dos o tres reuniones en el curso de la mañana, un almuerzo liviano con un par de amigos, algunas veces una visita (cortita eso sí) a una casa de masajes en el centro (sólo para relajarse un poco), otro par de reuniones por la tarde, y se fue la jornada.

Por la noche enfrenta la Costanera de vuelta fumándose el penúltimo cigarrito del día, compra *La Segunda* en una luz roja, llega a su casa, y la gorda lo está esperando.

–¿Quiere un pisco sauer, lindo, cómo le fue?

–Bien, gorda, nada nuevo, ¿y los niños?
–Están durmiendo,
–¿Llamó a su mamá para pedirle la casa este fin de semana?
–La llamé, pero estaba en Algarrobo.
–Ah… ¿Cuándo vuelve?
–Creo que mañana.
–No vaya a olvidarse de llamarla de nuevo, mire que si no, nos quedamos sin casa.
–No, lindo, no se preocupe.
–¿Qué hay de comida, gorda?
–Bistec con arroz.
–¿Le dijo a la Cleme que tenga más cuidado con el arroz? Ahora último se le pasa pegando.
–Este lo hice yo.
–Ah, qué bueno. ¿Llegó la *Qué Pasa*?
–Está en la pieza...

El hombre se va a su pieza, lee la *Qué Pasa*, la empleada le lleva la comida en una bandeja, porque a él le gusta comer ahí, frente al televisor, ve las noticias, termina de leer la *Qué Pasa*, hojea *La Segunda* y se acuesta.

Ha terminado su día de trabajo.

La mujer, en cambio, llega a su oficina en la mañana con los nervios, ya, de punta. En la casa han quedado por lo menos tres problemas serios que solucionar. Hay que tomarle hora al doctor a la Carola, hay que pasar, en algún momento, a comprar la carne para el asado que quiere hacer Ernesto esta noche y hay que volver a llamar al arquitecto, porque la gotera del baño chico se pasó a la pieza de Cristián.

Nada de quedarse almorzando en el centro, cómo se le ocurre, lo de la casa de masajes ni lo menciono porque las mujeres nunca tienen tiempo para esas cosas y la palabra "relajarse" suele estar reservada para una segunda existencia; a la hora de almuerzo tiene que volar a su casa para estar un rato con la guagua, o correr al colegio de alguno de los chiquillos que tiene clase hasta la una, almorzar a toda carrera un huevo duro con tomates y volver a la oficina a las tres.

No se me olvide pasar a la carne, a las siete tengo que llevar a la Carola al médico, no sé qué le pasa a esta niñita, qué lástima que el arquitecto ande en Valparaíso, esa muralla va a quedar manchada para siempre. Y en la misma medida en que se va yendo la tarde, el alma se le va trenzando y se le instala un nudo en la garganta.

Es que no se puede ser gerenta de un banco y tener que pasar a comprar los huesos para la cazuela.

No se puede ser presidenta del país y tener que dejar la firma del tratado de paz con Argentina para más tarde, porque la empleada llamó por teléfono para decir que Carlitos está con fiebre y acaba de vomitar el puré.

No se puede salir arrancando de una reunión con los avisadores y con el gerente general de la BBDO, porque el marido llamó por tercera vez, con esa voz frenética que ponen los maridos cuando llaman a sus mujeres al trabajo y la secretaria les dice "lo siento, don Ricardo, pero no la puedo interrumpir", y él pega un grito "¡Interrúmpala que es urgente!"

–¿Qué pasa, lindo, qué pasa?

–¿Qué pasa? ¿Dónde está mi chaqueta azul?

–¡Qué sé yo dónde quedó su chaqueta azul! Estará en el closet, y ahora tengo que cortarle porque estoy en medio de una reunión.

–¿No la habrá llevado a la tintorería y no se acuerda?

–...

Así no se puede.

No se puede dejar al presidente del Citibank esperando en el bar del hotel Carrera toda la noche, porque la Antonia llegó llorando y amenazó con suicidarse, porque descubrió que el pelado Arístegui se la está jugando con la Carola Unzueta.

No puedo imaginarme al presidente Eduardo Frei diciéndole al presidente Carlos Menem: "¿Le importaría que dejáramos la reunión hasta aquí no más, porque una de las niñitas está teniendo la guagua?".

El primer problema es ése: no se puede ser senadora y cocinera al mismo tiempo, o diputada y zurcidora de pantalones, o gerenta general, planchadora de camisas y siquiatra de la hija, todo al mismo tiempo.

El segundo problema tiene que ver, directamente, con el marido.

Muchos maridos, particularmente los esposos de las mujeres en cargos públicos, tratarán de hacerse los comprensivos con la carrera de su esposa. Ellos admiran y apoyan a su mujer; su mujer es inteligente, dulce y buena compañera, lo mejor que les ha ocurrido en la vida; en entrevistas con la prensa se declararán orgullosos de ella; pero la verdad de las cosas es que ese mismo marido nunca se ha hecho cargo, en la casa, de que su mujer está trabajando en una posición de tanta responsabilidad y tanto estrés como la suya y no la ayuda en nada. Continúa llegando entre las 9 y las 10 de la noche, tocando la bocina para que alguien le abra el portón y dejando el abrigo tirado en la silla.

–¡Gorda! Llegué.

Qué hay de comida, cómo están los niños, ¿se acordó de preguntarle a don Pancho si está lista mi filmadora?

Continúa tomándose el traguito en la terraza, si es verano, frente a la chimenea si es invierno, leyendo el diario o dejando vagar la mente.

–¡Ah!, gorda, antes que se me olvide, el sábado convidé a comer a Lalo, ¿usted se acordó de llamar a la Coté? Y otra cosa, gorda, el viernes voy a llegar tarde porque vamos a jugar golf con el gordo Arrieta, ¿se acordó de ver si había Titelists en el Parque Arauco?

Como si la gorda no hubiese estado todo el día lidiando con diversos problemas en la revista, en la imprenta y en la distribuidora.

Estoy casi segura de que todas las mujeres que trabajan tienen que batallar con este mismo problema y estoy completamente segura de que las políticas lo tienen multiplicado por dos. A ellas les tiene que costar el doble.

Los tiempos en que la familia podía mantenerse con el sueldo del marido están quedando definitivamente atrás, así que hoy por hoy la mayoría de los hombres termina aceptando que su mujer trabaje fuera de la casa, no alcanza para los gastos de la familia con lo que gana él, no queda más remedio, acepta que la mujer sea paisajista de jardines, decoradora de interiores, enfermera de la Cruz Roja, que tenga una boutique con una amiga, corredora de propiedades también es una pega bien vista por los maridos y agente de viajes en una oficina de turismo, desde luego; el periodismo femenino se puso de moda en los sesenta y los maridos lo acogieron con entusiasmo, siempre que no se metiera en las patas de los caballos; hay un sinfín de trabajos "macanudos para usted, gorda", pero le aseguro que hay muy pocos maridos que aceptan de buen grado que su mujer ingrese a la carrera política, donde no sólo no se gana dinero sino que se pierde el poco que se tiene, se corre el riesgo de ponerse en ridículo y para más remate él deja de ser él y pasa a ser el marido de.

–¿Para qué, gorda? ¿Para qué? Si usted no tiene por qué salir de la casa. ¿Por qué no me explica cuál es el afán de dejar a los niños con la Filomena para ir a meterse a esa olla de grillos que es la política? ¿Cuál es el afán de llegar a la casa a las diez de la noche cuando usted podría darse el lujo de quedarse leyendo una buena novela o viendo una buena teleserie, bañar a los niños, hacer las tareas con ellos y aprovecharlos?, la vida se va volando, gorda, los niños crecen, ¿cuál es el afán de dejarlos solos cuando más la necesitan, si no hay necesidad?

La gorda se queda mirándolo y no le dice nada. Qué le va a decir.

El tercer problema tiene que ver con nuestra propia condición femenina. Las mujeres somos dispersas por naturaleza. Nos cuesta enfocarnos en una sola cosa. No hay nada que haga mejor una mujer que diez cosas al mismo tiempo.

Para aspirar al poder y emprender la carrera hacia allá hay que dejar todo lo demás de lado, concentrarse en el poder, convertirlo en meta única y venderle el alma, tal como suelen hacer los hombres.

Ellos son capaces de enfocarse única y exclusivamente en su carrera, en su trabajo, en la empresa, en la senaturía, en el hospital, en la escritura si son escritores, en lo que sea, pueden dejar de lado la mitad de la vida, la casa, la familia, los niños.

Es curioso observar que cuando un político o un empresario sufre un traspié, comete un desfalco, lo persigue la justicia, mete la pata, se convierte en árbol caído, pierde una elección, cae en desgracia por lo que sea, lo primero que declara a la prensa es que ahora se dedicará a la familia, ahora se dará tiempo para hacer lo que no hizo nunca: estar con sus hijos en horarios normales, conocerlos despiertos, estar con su mujer de día, leer, descubrir que los árboles tienen las hojas verdes y que el campo es un lugar donde los pollos se pasean con plumas, se ha dado cuenta de lo que importa y lo que no importa y han cambiado sus prioridades.

La mujer que aspira al poder no sólo debe enfocarse en una sola cosa, además debe estar dispuesta a pasar por casi todo lo feo del mundo: zancadillas, deslealtades, abandono del hogar, descuido de los hijos, estrés, vejez prematura, cansancio extremo, mala alimentación. Y todo eso, ¿para qué? Para irse de este mundo sin haber gozado, realmente, de la vida, para entrar en la muerte con los ojos cansados y la herida abierta que se produce en el corazón humano cuando se ha pasado por el mundo manipulando a la gente y poniéndoles la bota encima a los demás.

Por mucho que se hable de Inés de Suárez (y no es tanto lo que se habla, en realidad), el poder en Chile es una cuestión netamente masculina.

Pero hay que verlo y sentirlo en carne propia para entenderlo.

Muchas mujeres que han sido jefas, directoras de medios de comunicación, gerentas de bancos, ejecutivas de empresas, candidatas a cualquier cargo público, han terminado abandonando ese mundo decepcionadas. Unas se van a vivir a un cerro, otras se dedican a escribir libros y no pocas hacen lo que en alguna parte de su alma siempre soñaron hacer: nada.

A poco caminar se dan cuenta de que el precio que hay que pagar por aspirar al poder en una sociedad machista es demasiado caro.

Lo primero es que la mujer tiene un techo que no tiene el hombre. Ella puede llegar hasta ahí, pero no más arriba. Puede ser editora general del diario, pero nunca será la directora. Puede ser jefa de prensa del canal de televisión, pero difícilmente será la socia de los dueños. Puede ser presidenta de un partido político, pero no va a ser la candidata definitiva a la presidencia del país, y si llega a serlo, en el camino se las van a arreglar para sacarla del medio.

Es frecuente ver a mujeres capaces, imaginativas, excelentes profesionales, que terminan abandonando sus trabajos porque no pueden resistir el estrés que les impone el mundo masculino, sumado a las labores de sus casas, con las cuales tienen que seguir aun cuando trabajen ocho horas seguidas en una oficina.

A los pocos años de estar metidas en el mundo del poder vuelven a la vida estragadas y nerviosas y muchas veces se encuentran con que ya no tienen marido y están solas; como han establecido relaciones de poder con todo el mundo se han quedado sin verdaderas amigas y los hombres les tienen miedo; debe haber pocas cosas en Chile que aterrorice más a un hombre que una mujer aspirando al poder.

Y así, la mujer cae a la camilla del siquiatra por un tiempo, a ver si el doctor le arregla lo que desarreglaron los años en la búsqueda del poder y si todavía es tiempo, si aún no tiene el corazón gravemente entristecido y si el médico hace un buen trabajo, sale del tratamiento convertida en otra y entendiendo a Carlos Castaneda y entonces, sólo entonces, se dedica a ser feliz.

Lo malo es que a veces le cae la teja demasiado tarde, ya tiene cincuenta años o más, la juventud ya se le fue y ha quedado en una estación donde no volverá a pasar el tren.

OTRO FACTOR QUE ES BUENO TENER EN CUENTA

Si usted es la jefa, no espere que sus empleados la quieran como a los hombres.

Sepa Dios por qué será, pero a las mujeres en cargos de poder no las quieren como a los hombres, en cambio a los jefes los quieren, los respetan y hasta se enamoran de ellos.

En los veinte años que llevo ejerciendo el periodismo en Chile me han tocado tres jefes y cuatro jefas y he podido observar el siguiente fenómeno: los jefes, que suelen ser explotadores, hiperkinéticos y encantadores, son literalmente adorados por las mujeres que están a sus órdenes.

Las enfermeras pasan la vida enamoradas del médico jefe, las estudiantes pasan medio año enamoradas del profesor, las periodistas se enamoran del editor del diario, del director y del colega periodista que es su jefe directo.

El caso de las secretarias es quizás el que mejor ilustra lo que es la relación jefe-empleada en Chile.

Las secretarias suelen rendirles pleitesía a unos caballeros que dejan bastante que desear en cuanto a la consideración que demuestran hacia ellas; tienen que cubrirles las espaldas cuando son acosados por la esposa celosa, pagar sus cuentas, recordarles las fechas de los cumpleaños de sus hijos, saberse el número de la patente de su auto, quedarse con ellos hasta que decidan regresar a sus casas y no hasta que se cumpla el horario de trabajo de ellas, ¿le importaría mucho, Bertita, que yo le dictara esta última carta?, enterarse de todos sus secretos y problemas personales y seguir poniendo buena cara. Pero así y todo los quieren. Don Alberto es un encanto, don Cristián es amoroso, yo no cambio a don Antonio por nadie.

Los jefes pueden darse todos los lujos de mal carácter que necesiten, llegar de mal genio en las mañanas, entrar a trancos largos sin saludar a nadie o gritarle al personal, pero van a seguir siendo un amor y la Bertita continuará quedándose hasta las siete y media o más, para que él le dicte la última carta.

Lo único que explica esta relación es que, en el fondo, entre el jefe y la secretaria existe una especie de código de lealtades mutuas. Puede ser que él la explote durante muchos años, puede ser que ella sea la depositaria de secretos que él no le cuenta ni a su mamá, puede ser que ella sufra con los malos ratos y las rabietas de él, pero a la vuelta de la vida, cuando ella esté vieja y ya no pueda trabajar, ese hombre siempre recordará a su secretaria de todos esos años, le pagará unas vacaciones de quince días en algún hotel de La Serena y le otorgará, por una vez, una prima de 25 UF pagadera en cuatro cuotas semestrales, para ayudarla en la educación de su hijo. Tal como ha hecho con la Cleme, su "nana" de la infancia.

La Cleme era la "nana" de Toñito en la casa. Y

la Bertita es la "nana" de don Antonio en la oficina.

Con las jefas, en cambio, nunca se establece una sociedad de lealtades mutuas, y aun cuando las mujeres en cargos de poder suelen ser más directas y más justas, esa sociedad no llega a producirse.

Será porque las mujeres tienen que andar justificando su jefatura a cada rato, será porque se equivocan y cuando ascienden en la escala del poder creen que hay que ser como los hombres, será porque a ellas no les resulta levantar la voz al rato uno y el encanto al rato dos (como a los hombres) y para hacerse respetar eligen la distancia, o será porque las mujeres, cuyo rasgo cultural también es el machismo, privilegian a los hombres, qué sé yo por qué será, pero lo cierto es que a las jefas no las quieren y a los jefes, en cambio, sí.

Tengo una amiga banquetera que durante mucho tiempo se dedicó a organizarle las comidas a un ministro.

El ministro era un mañoso del diablo, no comía más que bistec con arroz graneado y ensalada de tomates, pero el bistec tenía que ser cocinado de una manera especial, el arroz tenía que granearse con un aceite de oliva superior, que no vendían en ninguna parte, la ensalada de tomates tenía que ser hecha con tomates maduros, recién cosechados en pleno invierno, cuando nunca ha habido tomates, y el agua mineral (porque el ministro no tomaba vino) tenía que ser de esas aguas en botellitas chicas que venden en Canadá y que el ministro había tomado una vez en un hotel de Toronto, pero que en Chile no existen.

Mi amiga pasaba media vida consiguiéndose libros de cocina con comidas novedosas, aprendió a guisar las codornices de la Julia Child y cocinaba unas *petits legumes à la grecque* deliciosas que sacó del Cordon Bleu, a ver si tentaba al ministro, a ver si lograba hacerlo comer algo que no fuera bistec con arroz y tomates, pero nunca lo consiguió, y cuando el ministro ofrecía un banquete, mi amiga ocupaba las recetas de sus libros para los invitados y a él le servían lo mismo de siempre.

¿Usted cree que ella lo detestaba? ¿Cree que llegaba en la noche a la casa a quejarse por la desgracia de tener un jefe maniático como aquel? ¿Cree que alguna vez reclamó por esos ataques de cólera que le bajaban al ministro cuando los tomates no estaban aliñados como él estaba acostumbrado?

De ninguna manera. Ni siquiera renunció a su trabajo el día en que el ministro la gritoneó por haberle echado orégano al arroz. ¡Cómo se le ocurre que iba a renunciar! Ella lo adoraba. "No hay nadie más amoroso, es un encanto de persona, dulce como ninguno, nunca he tenido un jefe como él", me decía cada vez que yo le preguntaba hasta cuándo iba a soportar a ese fanático del bistec a la plancha, y después se ponía a hablarme de sus ojitos azules, de su corbata italiana, de lo bien que se veía cuando vino el presidente de Uruguay...

Y OTRA COSA MÁS, QUE TAMBIÉN ES BUENO TENER EN CUENTA

Los hombres no la van a tomar en serio. Haga lo que haga no la van a tomar en serio. No importa lo buena que usted sea en su campo, no la van a tomar en serio.

Si es escritora, los críticos se la van a tragar como a una sandía, van a partir diciendo que su literatura es "inconsistente", "de gusto masivo", "facilona", sus personajes nunca tendrán "profundidad sicológica" y usted siempre estará copiándole a alguien, que siempre será hombre, a Gabriel García Márquez, a Juan Rulfo, a Carlos Fuentes, a Julio Cortázar.

Sus colegas escritores no van a leer sus libros.

Marcela Serrano me contaba, hace pocos meses, que llevaba más de un año intentando convencer a Jorge Edwards y a José Donoso que leyeran sus libros. Jorge Edwards llevaba el mismo año diciéndole que tenía sus libros en el velador y que ya los iba a leer, y José Donoso había leído una de sus novelas sólo porque ella se la llevó personalmente a la casa y Pilar Donoso lo obligó a leerla.

En otra oportunidad, Marcela le había pasado uno de sus manuscritos a Gonzalo Contreras, que es su amigo. Gonzalo Contreras había leído unas páginas y después de un rato había murmurado algo así como "Mmmmmm" y luego le había dicho: "Oye, Marcela, ¿sabes qué? Aquí hay lenguaje". Como si fuera sorprendente y raro que hubiese lenguaje en su manuscrito.

Si es política se encontrará con que a veces usted no existe, tal cual, no existe, sus colegas no se acuerdan que para tomar tal o cual resolución debían esperar a que usted estuviera presente.

Hace un tiempo, una diputada me contó la siguiente experiencia suya: "Llegó un momento en que a mí me faltaban siempre unos temas en que todos mis colegas aparecían concordando y que yo, en cambio, escuchaba por primera vez. ¡Bah!, qué raro, pensaba, ¿cuándo discutimos esto? Si esto no lo hemos discutido, yo no me acuerdo de haber visto nunca este tema... Fue entonces cuando me di cuenta, y por casualidad me di cuenta que, después de las reuniones ejecutivas, los colegas congresistas se iban a un café, se quedaban tomando cervezas en el café, hasta quién sabe qué hora de la noche, y ahí, en el mismo café, tomaban la decisión final. A nadie le preocupaba si yo estaba presente o no".

Mariana Aylwin contaba que a ella se le encrespaba el alma cuando sus colegas congresistas la citaban a la Mansión de la Novia a las diez de la noche. ¿Cómo iba partir a la Mansión de la Novia, con todo lo que tenía que hacer en su casa, y a esa hora, por qué no trabajaban de día, como todos los mortales del planeta? "A mí muchas veces me dicen: oye, esta noche nos vamos a juntar en la Mansión de la Novia a las diez... Yo me quedo mirándolos perpleja y pensando: Ay, Dios mío, Agustinas por allá abajo... Y si una no va, no participa en ninguna decisión. Las directivas de los partidos, por ejemplo, se deciden en las comidas, en reuniones entre ellos en las casas, en los cócteles, pero nunca en una instancia formal donde podamos estar las mujeres".

NI ASPIRAR AL PODER NI DESTACARSE

Una mujer en Chile tampoco debe destacarse. Es decir, no debe destacarse en ninguna cosa que pertenezca al campo de competencia masculina. No importa lo que haga bien, pero si lo que hace bien es algo que históricamente han hecho los hombres, no debe destacarse. Se la van a comer viva.

Si es abogado, médico cirujano, piloto, senadora de la República, economista, mecánica de trenes, lo que sea, debe intentar hacer sus cosas calladita, sin que se noten su rapidez ni su eficiencia.

La mujer puede aspirar tranquilamente a los premios, los aplausos y otros reconocimientos en todas aquellas labores que no interesan a los hombres. Puede ser la mejor secretaria, hasta obtener el nombramiento de Secretaria del Año, parvularia número uno, mejor Dama de Verde, mejor Cruz Roja y mejor banquetera. En la década de los sesenta se incorporó el periodismo, así que también puede ser nombrada mejor periodista del año, pero con bastantes más reservas que la mejor modista, por ejemplo. Entre Lenka Franulic, quien ganó el Premio Nacional de Periodismo en 1959, y Raquel Correa, quien lo ganó en 1991, desfilaron prácticamente todos los varones periodistas directores de medios, reporteros políticos, locutores, caricaturistas y entrevistadores que estaban vivos y que se habían destacado en sus carreras.

El nuestro es un país donde la mujer que se destaca es considerada peligrosa, es un ente al cual conviene neutralizar y el mejor camino para hacerlo es descalificarla.

Si se destaca por su inteligencia dirán que es "marimacho", si se destaca por su belleza dirán que es "prostituta" y si se destaca por su talento dirán que es "loca".

Para evitar ser descalificada lo mejor es hacerse la tonta, la que no entendió muy bien lo que acaban de decir. También resulta hacerse la volada, la que olvida todo y no escucha bien, sin que se le note que no olvida nada y escucha hasta los pensamientos.

O la coqueta... La coquetería es uno de los caminos más seguros para evitar la descalificación. Este es un país donde un meneo de caderas y un revoltijo de ojos dan mejores resultados que un discurso académico.

Si alguna vez una mujer llega a estar relativamente cerca de la Presidencia de la República, créanme que tendrá que ser una mujer coqueta, linda, bien pintada, con minifalda, cuello de garza y una pluma de avestruz en el sombrero, una Evita 2000.

–Apoyemos a esta mina por un rato, Arturito, no costará nada manejarla.

Pero una mujer que vista traje sastre, que tenga una cabeza matemática bien puesta encima del corazón y que sea capaz de golpear la mesa, aunque le digan "vieja histérica", no tendría mayores posibilidades.

Aquí lo que conviene es ser como las venezolanas, esas mujeres regias, altas, de buenas piernas, que caminan por la vereda como si acabaran de comprarse el mundo, moviendo un poco las caderas y batiendo las pestañas. Que la confundan con cabaretera, que no se note para nada que es capaz de escribir un buen ensayo. Que nadie note que además de bonita usted es normal, es decir inteligente.

Si va a decir algo espinudo en una reunión política, en un cóctel de la embajada alemana o en el Congreso, entorne los ojos, cruce las piernas para el otro lado, póngase la mano derecha bajo el mentón, y no en voz alta sino casi susurrando diga lo que tiene que decir, pero suavecito, como si no estuviera enunciando lo que mañana serán los titulares de toda la prensa y la caída del gabinete sino una declaración de amor. No hay que hablar fuerte ni asustar a los contertulios, porque si lo hace deberá pagar las consecuencias.

–Oye, Arturo, a esta mina hay que neutralizarla como sea, ¿viste todo lo que habló ayer?

–¿Se te ocurre algo?

–Se me ocurre lo siguiente: el lunes está invitada al programa Diga lo que Quiera. ¿Por qué no hablas con Pepino y le pides que la atrinque un poco? Esta mina ha estado teniendo problemas en varios flancos y si Pepino la atrinca la puede dejar en ridículo.

–Buena idea, viejo.

LA CUARTA:

CASARSE CON UN MACHISTA

"Yo sé bien que estoy afuera,
pero el día que yo muera
sé que tendrás que llorar,
llorar y llorar, llorar y llorar.
Dirás que no me quisiste,
pero vas a estar muy triste
y así te vas a quedar.
Con dinero y sin dinero
hago siempre lo que quiero
y mi palabra es la ley;
no tengo trono ni reina
ni nadie que me comprenda,
pero sigo siendo el rey".

(*El Rey*, ranchera de
José Alfredo Jiménez)

No hay que asustarse con el título de este capítulo; no hay que pensar de entrada: "Ya me fregué, si no me caso con un machista con quién me voy a casar".

Los chilenos no son tan machistas como para que una no pueda casarse con ellos, pero hay grados, claro, grados de machismo y grados de peligrosidad.

Mientras más jóvenes más lindos, eso pareciera estar claro.

Las mujeres de mi generación ya estamos más o menos fritas, para serles franca, pero como el mundo no terminó en la generación nuestra, éste es un tema del cual vamos a seguir hablando las chilenas hasta que *El Mercurio* titule: "Los hombres también lloran".

Lo primero es entender bien, sin asomo de dudas, que en países como el nuestro la mayoría de los hombres son más o menos machistas, de qué otra manera van a ser si así han sido educados por nosotras. Lo paradójico de este asunto es que detrás de cada papá que mira a su hija con espanto y le dice: "¡Teatro! ¿Quiere estudiar teatro? ¿Se volvió loca? Ese es un antro de perdidas, lesbianas, mujeres de mala vida y mala muerte, nadie va a querer casarse con usted nunca, porque las mujeres que se meten al teatro tienen fama de usadas, y además, el lugar de una mujer es su casa y no un escenario y yo no quiera que a mi hija la anden señalando con el dedo..." Detrás de cada papá así, hay una mamá que lo educó.

El machismo y la mujer viven fundidos en un abrazo.

Otra cosa que es bueno tener clara es que encontrarse un chileno feminista será tan difícil como encontrarse un mexicano sin amante. Así que buscar por estos lados un hombre muy evolucionado en ese aspecto es una pérdida del tiempo.

Por último conviene tener en cuenta que el machismo puede ser algo muy sutil, hasta engañoso. Hay hombres que parecen damas y son machistas. El machismo no tiene nada que ver con los modales.

Hay quienes piensan que la mejor manera de saber si un hombre es o no es machista consiste en averiguar si lava los platos en la casa, si hace su cama, si sabe preparar una tortilla y si le ayuda a la mamá. Si le grita a la señora es machista, si no le grita no. Si tiene a la mujer prisionera y no la deja trabajar es machista, si la deja salir de la casa no.

Si se tratara de eso, nada más, sería la cosa más simple del mundo, cuestión de enseñarles a los chiquillos a plancharse las camisas, armar una cazuela y mudar a la hermana chica, pero el machismo es algo complejo, largo como la humanidad y tiene que ver con corrientes sicológicas profundas, secretos insondables del alma humana que vienen desde tiempos inmemoriales.

BALA QUE ZUMBA NO MATA

Esos hombres rudos, macizotes, que tienen grandes los ojos, la voz, el cuerpo, los brazos, los zapatos y hasta la cabeza, también suelen tener grande el corazón y aunque gritan por cualquier cosa, se enfurecen, se comen la pata de cordero con la mano, dan portazos y lloran de rabia, no son tan machistas como parecen.

El problema es que son como Gilberto Cancino, no tienen fina la textura del alma y una no tiene interés en pasarse la vida junto a un hombre que a la primera de cambio amenaza con matarla.

Pero si por esas casualidades de la vida, usted se topa con un grandote de esos, que además tiene el alma suave, es refinado, melancólico y cristalino, cásese con él sin mayor cuidado.

He visto pocos hombres gordos, finos y sensibles, que sean malos maridos. Es curioso, pero los malos maridos suelen ser flacos y esmirriados, yo no sé por qué será.

Identificar a un machista peligroso es difícil, no andan por la calle con un cartel; por eso es que cuando hablo de este tema hay que dejar en claro, a cada rato, que se trata de un asunto complejo. Conviene repasar todas las variables, para no entrar en acusaciones gratuitas.

En todos los años que llevo pensando en este problema, observando, hablando con otras mujeres y también con hombres, he descubierto que hay varios tipos de machistas y entre todos ellos existe uno, en particular, del cual hay que cuidarse aún más que de los otros: el machista intelectual, el más culto del grupo, el que siempre aparece nombrado entre los hombres más inteligentes de Chile en esas encuestas que hacen las revistas, el sociólogo, escritor, abogado, historiador respetado por todos, el que escribe esos análisis sesudos en la prensa, el que le va tomando la temperatura a la sociedad y organizando sus juicios profundos y sensatos... Ese hombre nunca va a gritar, nunca va a salirse de sus casillas sino todo lo contrario, será de maneras muy suaves, casi femenino, perfectamente bien educado y hasta es posible que le guste cocinar.

Sin embargo, a la hora de entender el alma femenina, a la hora de hablar de la discriminación de la mujer o a la hora de mentar cualquier tema que tenga que ver con la igualdad sexual, usted verá cómo desaparece la dulzura y se encuentra frente a un encarnizado enemigo de la emancipación femenina, contrario a todo avance de la mujer. Y el problema más serio es que todo cuanto dice, como es inteligente, tiene sentido, y una termina callada y sintiéndose estúpida porque aparte de ser muy cultos (estos hombres son leídos y se lo hablan todo, pero saben), suelen ser irónicos y lo que no pueden destrozar con teorías o cifras lo van a destrozar con burlas.

De este tipo de machista habría que arrancar a perderse.

Los otros podrán producirle dolores de cabeza, la harán pasar malos ratos, pero éste suele ser humillante y ofensivo y la hará sufrir.

EL GUARDAESPALDAS

Hay hombres que tienen a sus mujeres escondidas en las casas, las cuidan y las guardan como si fueran un secreto, no les gusta que figuren, no las dejan dar entrevistas de prensa, aborrecen la idea de que la gente las vea, no quieren que nadie se las descubra. Cuando son nombrados en cargos públicos sufren, no les queda más remedio, ahora tienen que exhibir a la señora, a la pobre vieja, que no han sacado ni para los terremotos, ahora la tienen que mostrar.

A primera vista parecería que éstos se cuentan entre los más machistas, y lo son, pero dentro de su machismo tienen sus ventajas. Suelen ser hombres muy tiernos con sus esposas y con sus hijos, la casa es una cosa sagrada para ellos, realmente sagrada, no les interesa tener amantes, para nada, son monógamos y silenciosos, suelen ser severos y firmes para educar a sus hijos, pero son justos, rara vez se meten en política y si lo hacen lo hacen por tiempos cortos, pero la carrera política no es su fuerte.

Si usted no es progresista, ni guerrillera, ni feminista y anda buscando una vida serena y no le importa pasar encerrada en su casa cuidando a los chiquillos, este tipo de machista es macanudo para casarse con él.

EL SOCIABLE

Distinto del guardaespaldas hay un tipo de machista a quien le gusta mostrar a su mujer, le gusta que la mujer ande bien vestida, le da toda la plata para ropa que ella quiera, que se compre cosas lindas, que use perfumes franceses, que se vea estupenda, que se la miren y se la envidien, le gusta que su mujer se luzca, que cocine como reina, que atienda bien a los invitados, que sepa servir una comida como Dios manda, que la casa se vea bien arreglada, los muebles deben ser de buen gusto, los cuadros de buena firma y las alfombras, orientales.

Este machista no es celoso en absoluto, suele ser encantador, hombre de mundo, buen conversador, le gustan las fiestas con su señora al lado y es generoso, le agradan hacer viajes por el sur, siempre anda descubriendo un lago o una playa medio secreta donde comprar un sitio para construir cuatro o cinco casas con los amigos, en el invierno le gusta esquiar, si es rico irá una vez al año a Europa. Y si es pobre, ni usted ni los amigos se van a dar cuenta,

Si a usted no le importa parecer florero, si carece de aspiraciones profesionales y se enamoró de uno así, cásese tranquila con él, este tipo de machista no es de los más peligrosos y es relativamente abundante en el Chile de hoy.

EL SUPERMACHO

Otro machista abundante es aquel hombre que mira de la cintura para abajo, habla de la cintura para abajo, piensa en la cintura para abajo, se vanagloria de su cintura para abajo y muchas veces cuando su cintura para abajo queda al descubierto, lo que aparece es su impotencia.

Escuchar hablar a este machista con sus amigos es una experiencia degradante para cualquier mujer.

El se ha acostado con medio mundo, y las nombra a todas: con una lo ha hecho hasta cuatro veces en una siesta, "terminábamos un episodio, dormíamos un rato, viejo, y de nuevo"; con otra lo hizo en el asiento de atrás del auto, viejo, imagínate cómo estaría la mina; a otra la conquistó en la playa de Ritoque, mijita rica, viejo, la cosita más linda; y a una cuarta la acorraló en el baño de la oficina, casi nos pillan, viejo, pero estuvo inolvidable.

Este machista es completamente despreciable,

no hay ni que acercarse a él, sobra decir que elegirlo como compañero para toda la vida es peor que un error, es una desgracia.

CORAZÓN DE POETA

Es calladito, más bien tímido, le gusta la música, nunca será muy rico, la plata no le interesa, le interesa andar por el mundo, conocer otras culturas, no le gusta vivir en Santiago, suele estudiar en Valparaíso o en Valdivia o en Concepción, prefiere la vida tranquila, cree en Dios, pero no en las Iglesias, no vota en ninguna elección porque no cree en los políticos, una sola vez militó en el Partido Humanista, pero después se salió, se pelearon todos con todos, igual que en los demás partidos y él se desilusionó; es ecologista y libertario. Tiene manos de pianista y corazón de poeta, a veces toca la guitarra y ha sido marihuanero, pero ya no.

Si usted anda buscando un compañero romántico y más bien experimental, éste sería un lindo candidato, pero no se equivoque, no crea que porque toca la flauta y anda con ojotas no es machista, las apariencias muchas veces engañan y a la hora de los quiubos los poetas pueden ser tan machistas como los boxeadores.

EL CREADOR

Las noticias que se tienen acerca de cómo son los artistas para vivir con ellos, son más bien malas, qué quieren que les diga.

Muchas mujeres coinciden en que no hay nada más difícil que vivir con un escritor, un pintor, un escultor y para qué decir nada con un músico.

Este es el tipo de hombre que ha nacido para compartir su vida con alguien, como los demás, pero que a medio camino determina encerrarse con su arte, no compartir la vida con nadie y autoproclamarse creador, que es lo más parecido a Dios que alguien puede autoproclamarse.

Cuando el marido se autoproclama creador, lo que hay que hacer es irse a otra parte, porque eso quiere decir que está pidiendo la casa para él. El merece que lo dejen tranquilo mientras pinta, esculpe o escribe y la mujer quedará convertida en la secretaria encargada de allanarle el camino, pagar las cuentas, sacarle a los chiquillos de encima, decir que no se encuentra en la casa cuando lo llaman por teléfono, todas esas cosas que hacen las mujeres de los artistas, para que ellos puedan crear en paz.

En una casa donde el hombre es artista no cabe más que él, la mujer, los niños, el perro y la empleada tienen que estar al servicio de su inspiración.

Si es escritor se encierra en su escritorio y trabaja como si estuviera en medio del océano, no como la escritora, que debe teclear con los chiquillos colgando, con la empleada preguntando qué hago para la comida y con el marido llamándola por teléfono, para recordarle que tienen que ir a cenar donde los Castro.

Si es pintor, sus cuadros van a estar colgados por todo el living; esto no importa nada cuando a la mujer y a los hijos les gusta su pintura sedante, bella, misteriosa; pero si para espantar sus propios fantasmas, el hombre pinta unas figuras pavorosas, unos rostros pesadillescos con cuajarones de sangre en los ojos y la guagua no puede dormir de susto, igual van a estar los cuadros colgados en el living, en el pasillo o arrimados en el altillo de la escalera.

Si es músico, olvídese de poder dormir una siesta nunca más en toda la vida o tener tranquilidad para leer un buen libro después de almuerzo, sobre todo olvídese de ver a su marido seguido. Los músicos son hombres que pasan la mitad de la vida encerrados con sus notas y si no tienen oficina, y casi nunca la tienen, se encierran en la casa.

Es curioso, pero la casa es un lugar extraordinariamente flexible para los hombres; si su trabajo está fuera de ella, la casa es el lugar donde van a llegar a descansar y la gorda tendrá que entenderlo así y tenérsela convertida en un lugar de descanso. Si su trabajo está dentro de la casa, ésta se convierte en su oficina y ahora la gorda tendrá que entenderlo de otra manera y no deberá andar por la casa como si ésta fuese un balneario sino en puntillas, porque él está trabajando.

Otra cosa: el artista siempre anda nervioso, es sensible, se neurotiza con facilidad, le cuesta vivir con su oscuro gemelo, es autorreferente, está enamorado de él mismo, el alma se le retuerce, duerme mal, le duele casi todo lo que no debiera doler, toma trago porque se desespera y si es escritor y le viene la seca hay que salir arrancando, pero si es escritor y no le viene nunca la seca, también hay que salir arrancando porque el hombre no la dejará en paz y pasará los días y las noches leyéndole en voz alta el manuscrito.

Por lo general los artistas son más complejos que los otros hombres, pero si además de complejos son machistas, la cuesta se pone muy empinada y la carreta de la vida pesa el doble.

EL PROVINCIANO EXITOSO

Otro tipo de machista, que figura entre los que sería bueno evitar, o al menos saber bien de qué se trata antes de elegirlo como compañero para toda la vida, es el hombre que ha llegado a Santiago desde la provincia, ha triunfado en Santiago y se ha quedado allí.

En pocos años, y porque es mucho más esforzado y mejor educado que los santiaguinos, se ha convertido en un empresario de renombre, en el mejor abogado o en el mejor oftalmólogo.

Este hombre viene de la provincia con toda la carga machista, es hiper conservador, no le gusta para nada la sociedad santiaguina, los encuentra fatuos, pedantes y buenos para gastar la plata del papá, a él le ha costado llegar donde ha llegado, no está dispuesto a transar su esfuerzo por nada ni por nadie y se lanza a su vida de casado dispuesto a resucitar en la capital los valores de la provincia.

Lo primero es que él viene acostumbrado a ver a su mamá en la cocina, revolviendo el dulce de membrillo, batiendo la mantequilla y dándole punto al manjar blanco.

Su mamá y su papá tenían un matrimonio perfectamente armonioso, ella en la casa bordando, trabajando en su huerta, escuchando la radio, esperándolo; él en el club de Cauquenes negociando el trigo y los chiquillos estudiando en el liceo para ir luego a la universidad.

Se casa con una santiaguina y el mundo se le empieza a descomponer. La santiaguina quiere poner una tienda de ropa, se aburre en la casa, la empleada puede cocinar, para qué tengo que cocinar yo, ¿estás loco que voy a hacer dulce de membrillo, si eso se compra listo en el Unimarc? Eso sería en Cauquenes, Luis, pero aquí la cosa es diferente.

El hombre se queda mirándola desconcertado.

En la provincia todo estaba claro, no había ninguna confusión, los hombres eran los que trabajaban y si las mujeres debían trabajar, lo más bien que lo hacían en su casa, cosiendo, creando arreglos florales, pintando tarjetas de pascua, mermeladas para vender, tanta cosa, gorda, ¿por qué no puede hacer usted lo mismo?

Intenta convencerla por las buenas, pero cuando ve que por ese camino no llegará a ninguna parte, hace lo que durante toda su infancia vio hacer a su papá:

–¡Se acabó la discusión! Usted se queda en la casa, porque aquí el que manda soy yo.

Con este tipo de hombre no conviene casarse. Todo lo bueno que podría tener por venir de la provincia, su alma de pájaro, su sencillez, su sanidad mental, su falta de materialismo, su genuina emoción ante la banda de Carabineros de Parral tocando el "Gorrioncillo Pecho Amarillo" los domingos o sus lágrimas, que amenazaban con salirse cada vez que se detenía a mirar el cielo estrellado de Lontué... Todo ello se ha esfumado.

Lo único que ha conservado de sus valores provincianos es el recuerdo de su vieja batiendo la mantequilla en la cocina y el papá gritándole "El hombre de la casa soy yo".

En su lucha por hacerse rico y "triunfar" en Santiago, los demás valores de su pueblo y de su vida pueblerina han quedado convertidos en algo brumoso y antiguo, algo olvidado a la orilla de un sueño.

SUMANDO Y RESTANDO

Decíamos que los gordos finos de alma suelen ser buenos maridos, sin embargo hay un tipo de gordo fino de alma con el cual también hay que tener cuidado: el gordo jugador, el que se pasa la vida en las carreras, o en el casino de Viña o en las timbas con los amigos, ese gordo es fino de alma y es ingenioso y simpático, sabe cocinar los mejores asados de tira, cuenta los mejores chistes, a todo el mundo le gusta ir a su casa los sábados y los domingos, pero como marido es un desastre, nunca tiene un trabajo estable y pasa de ser rico a estar endeudado con todo el mundo con una facilidad asombrosa.

Como parte de su juego vital consiste en convencerse a él y al resto de que su mujer jamás necesitará trabajar ni molestarse para nada mientras él viva a su lado, gane la plata y la proteja, la señora pasará con el alma en un hilo esperando que llegue la camioneta de Investigaciones a llevárselo.

Este es un tipo de machista con el cual tampoco conviene casarse.

Decíamos que los intelectuales machistas se cuentan entre los más peligrosos, sin embargo, hay intelectuales que no lo son tanto, sobre todo los que han vivido fuera de Chile por tiempos largos; el machismo en Chile también tiene que ver con el aislamiento, la falta de información, la inflexibilidad, la Iglesia Católica (con el perdón de los curitas), la mentalidad militar.

Sin embargo, eso tampoco es un axioma, hay hombres que han vivido durante muchos años en el extranjero, en el exilio o porque han querido; afuera han aprendido a cocinar, a ordenarse la cama y a vivir sin empleada, sin embargo, cuando regresan a Chile y una escarba un poco, se encuentra con que saben guisar un mole poblano o un pescado a la sueca, pero en lo que realmente importa son iguales que los otros, se sienten igualmente amenazados y conciben el mundo con la misma separación de roles.

Sumando y restando: si usted es una mujer que cree en su capacidad intelectual, que sabe lo que quiere sexualmente y que le pide a la vida las oportunidades que la vida tiene para todo ser humano, independiente de cual sea su sexo, no se case con un machista.

Si estuviéramos en Perú o en Ecuador o en México, yo no haría esta afirmación. En Chile me atrevo a hacerla; dejando toda arrogancia de lado, estoy segura que las chilenas (en este tema) andamos algunos pasos más adelante que las mujeres de otros países latinoamericanos.

Cuando mi amiga Lupe me cuenta cómo es la cosa en México, por ejemplo, cómo funciona el sistema de la casa chica y la casa grande, la casa chica para la amante, la casa grande para la mujer legítima y los hijos; la mujer de la casa grande acepta que el marido haga visitas a la casa chica, siempre y cuando no perturbe la tranquilidad de su familia y entregue el dinero suficiente para vivir bien; acepta haciéndose la lesa, claro, no vaya a creerse que estas cosas se hablan en la mesa a la hora de almuerzo. Se hace la lesa, no hace nada, pocas veces se separa del marido, soporta todo lo que puede soportar, se humilla y al final del cuento, ya sea de su corazón partido, de sus noches desveladas, de las canas que le han dejado la cabeza blanca, sea de donde sea, va a sacar fuerzas y se va a vengar.

Las chilenas no tenemos ni la filosofía ni el aguante para la infidelidad que tienen las mexicanas.

Cuando el marido de una chilena está con otra mujer y ella lo descubre, la chilena toma decisiones, es cierto que cae en una horrible depresión, porque aquí la infidelidad sigue siendo una traición y no un derecho natural del hombre, pero toma decisiones.

Si la infidelidad en otras partes apuñala el amor y la confianza, la infidelidad en Chile apuñala el amor, la confianza y el matrimonio.

Aquí, el matrimonio sigue siendo un negocio de a dos y cuando entra un tercer socio, la chilena se separa.

Machismo suele escribirse con Eme de Mamá en casi todo el mundo, pero en Chile es como si escribiera con Eme de mami, una Eme no mayúscula, una Eme algo desdibujada, más tenue, una Eme que hasta podría desaparecer.

Cada vez es más frecuente encontrarse con mujeres que están despertando en este sentido, mujeres que prefieren pagar el precio de la soledad a vivir con un hombre que las martiriza y las ofende.

Marcela Serrano lo pone así: "Ya no puede llegar un tipo, ponerse encima tuyo y pegarse un par de hualetazos". Muy pocas de las nuevas mujeres en Chile aceptarían una actitud como aquella.

LA QUINTA:

SEPARARSE Y NO VOLVER A CASARSE

"Farolito que alumbras apenas
mi calle desierta,
cuántas veces me viste llorando
llamar a su puerta,
sin llevarle más que una canción,
un pedazo de mi corazón,
sin llevarle más nada que un beso
friolento, travieso
amargo y dulzón".

(*Farolito,* vals-canción de Agustín Lara)

La vida es una contradicción constante, si no, la muerte no existiría. Y la vida de una mujer no escapa de este concepto.

La emancipación femenina es la revolución más grande de los tiempos modernos, pero, como todas las cosas, está llena de contradicciones.

Una quiere liberarse, pero no tanto como para cambiar los roles. El mundo masculino no presenta mayores atractivos para el alma femenina. El punto está en que dentro del mundo masculino hay muchas cosas a las que una mujer aspira, salarios justos para empezar a conversar, e igualdad de oportunidades.

La mujer quiere zafarse de ese hombre que se cree con derecho de aplastarla, tanto como el hombre no quiere saber de esa mujer que un buen día colgó el corpiño en la picota y salió a la calle a insultarlo y perseguirlo. Pero nada de esto podría implicar que un bando busca eliminar al otro; de todas las teorías, supuestos, análisis y movimientos creados en torno al tema del machismo y el feminismo, lo único que finalmente se rescata es que los hombres y las mujeres se necesitan mutuamente, así que habrá que encontrarse en el medio.

Y en este caminar hacia el centro, la mujer sigue casándose, cómo no, y una vez más debe lidiar con un cúmulo de contradicciones.

Por una parte, ella sabe que no le conviene casarse con un machista, pero como casi todos los hombres que conoce son machistas, qué puede hacer, con quién podría casarse.

Por otra parte, ya sabe que ella no está dispuesta a resistir los problemas que suelen producirse en una pareja cuando uno vive bajo el dominio del otro, no resistirá los malos tratos, la infidelidad, la inestabilidad económica. Si algunas de esas cosas se convierten en una constante en su matrimonio, es probable que termine separándose.

Pero por otro lado también sabe que no hay nada más deprimente y difícil que el mundo de las mujeres solas, así es que en cuanto llega a ese mundo lo primero que hace es buscarse otro marido y el círculo comienza otra vez.

¿Cómo se rompe este círculo? No se rompe. No hay que intentar romperlo porque no es posible; mientras las cosas no cambien (de manera substancial), la mejor alternativa para una mujer que se separa es casarse de nuevo.

Yo no puedo creer que el segundo marido vaya a resultarle peor que el primero, casi nunca ocurre eso. Con quién le conviene casarse de nuevo es otra cosa y algo de eso vimos en el capítulo anterior; sin embargo, tratar de contarse el cuento de que una está feliz con su libertad, que los hombres son un estorbo, que la vida sin marido es una maravilla, no es más que un espejismo.

En una sociedad como la chilena donde todo está hecho para la pareja y donde el jefe de la pareja es el hombre, quien a su vez determinará el rumbo definitivo de la pareja, y donde los diversos rumbos que puede tomar el ser humano, también están determinados por criterios masculinos, vivir sola es una locura.

En el Chile de hoy es frecuente escuchar hablar de lo rápido que estamos avanzando, de lo bien que estamos saliendo del subdesarrollo, somos un país de tigres (dicen algunos) y hay personas que andan blandiendo teléfonos celulares en las esquinas, como si ello fuese la prueba irrefutable de nuestro progreso.

Existe una especie de exitismo colectivo en el cual nos hemos ido hundiendo poco a poco, casi todos, y desde el cual nos miramos convencidos de que realmente estamos saliendo del subdesarrollo.

Muchas mujeres han caído en la misma ilusión y comienzan a tener "proyectos" en vez de amores, computadoras en sus casas, oficinas para ellas solas, almuerzos de trabajo con maletines James Bond para los documentos y sonrisas tristes.

Creen que es cierto que el subdesarrollo y la discriminación están siendo males del pasado y que las mujeres también tienen velas en este entierro. Por fin podrán salir del encierro de siglos a que han estado sometidas, podrán crear sus empresas, inventar sus revistas y hasta sus diarios y quizás, algún día cercano, puedan ser dueñas de un canal de televisión.

No hay que dejarse engañar por esta ilusión: a la hora de la verdad, verá cómo el chileno sigue tan conservador y tan machista como siempre, la sociedad continúa siendo un caldo espeso de segregaciones, se discrimina a las mujeres, a los jóvenes y a los viejos. Es probable que haya más plata, pero que esa riqueza esté de alguna manera relacionada con una verdadera evolución hacia una mayor igualdad, lo dudo.

Las mujeres somos soñadoras. En nuestros sueños nos vemos caminando a trancos largos y con el cabello al viento hacia la libertad.

Por fin voy a librarme de este hombre que me ahoga, me cela, me prohíbe hacer lo que quiero, me insulta por la menor cosa, llega tarde y cansado a la casa, trata mal a los niños, se enoja cuando los yogures están mal puestos en el refrigerador y se desvela todas las noches entre las tres y las seis de la mañana. Por fin.

Se separan.

Ella siente emociones encontradas, sentimientos que van y vienen y que al principio le cuesta describir. Luego se da cuenta que lo que tiene es miedo, pero está tan ilusionada con la idea de su libertad que lo supera.

Arregla la casa a su gusto, le dice a la empleada que desde ahora en adelante seguirá trabajando puertas afueras, que venga nada más que en las mañanas, que le deje algo cocinado para la noche y que se vaya. Le gusta la sensación de tener permiso para comer a la hora que se le antoje o no comer, no tener que poner la mesa y hacer lo que hizo el marido los últimos diez años, comer frente al televisor leyendo la *Caras*.

A los dos meses de libertad empieza a desesperarse. Los días se han ido sucediendo con una identidad cansadora, han ido pasando lentos, cadenciosos, aburridos. El día en la oficina, la tarde en la casa, la noche en la misma casa, los sábados almorzando con una amiga o con la mamá, de vuelta a la casa se acuesta un rato a dormir, lee otro rato, riega las plantas y espera que llegue la noche, a veces va al cine con otra amiga o a jugar a las cartas a la casa de su tía Emilia, los domingos se levanta tarde, compran unas empanadas con la Antonia, la Antonia se va con el pololo y ella se queda pensando en su vida para atrás.

De pronto se siente invadida por una gran nostalgia y la sensación de haberlo hecho todo mal. La idea de su propia mortalidad se le aparece por primera vez. "Qué mínima es el alma", piensa, añorando un alma flotante y dispersa capaz de convertirse en agua, "qué mínimo es todo al final del cuento".

Son los primeros síntomas de la depresión. Los sábados son malditos, la casa se siente vacía, como si no tuviera muebles, las horas se alargan y así como caen los telones después de las comedias, cae el primer telón de la nueva realidad: en Santiago no hay nada que hacer, todo está organizado para la pareja y el único panorama es el pololo, el marido o el amante.

Después de tanto soñar con la libertad, la mujer cae en la cuenta de que tal libertad no existe, todo lo que deseaba hacer cuando el marido por fin se fuera de la casa, está mal visto, no se usa, crea demasiados problemas. ¿Cómo podría ir a un bar de noche a tomarse un trago? No hay bares donde puedan ir las mujeres solas a tomarse un trago, sin tener que lidiar con un racimo de frescos que la desnudan con los ojos. ¿Cómo podría cenar sola en un restaurante sin sentirse avergonzada por no tener pareja? No hay restaurantes donde pueda cenar una mujer sola, sin sentirse observada con curiosidad y sin que el mozo pase cinco minutos preguntándole si no espera a nadie, si ya va a llegar el caballero para reservarle esa mesa.

Recuerdo las palabras de una amiga que se había separado recién: "Prepárate para que casi todas las cosas normales de la vida te empiecen a dar vergüenza. Ir al cine sola, ir sola a un restaurante, estar sola en una fiesta de año nuevo; prepárate porque, en Chile, una mujer sola es sospechosa, se la considera culpable de algo, alguna falla tiene que tener, ¿por qué no se ha casado? Prepárate para que tu compañera inseparable sea la soledad".

En parte, ella tenía razón, el mundo de las mujeres solas es agobiante; se vive bajo la constante sensación de estar participando a medias en una sociedad organizada para las parejas; las amigas no cuentan para paliar la soledad, están con sus maridos, los hijos tampoco cuentan, están con sus pololas, los hermanos están con sus mujeres y la mamá está con su papá.

Poco a poco el sueño libertario de la chilena se va convirtiendo en una pesadilla donde cada noche una señora de ojos glaucos se le sienta al lado. Ella cree verla y hasta la escucha respirar. Es una señora vestida de blanco con los dedos huesudos y la boca como un hilo atravesado en la cara. Una vieja triste que la vida le envió como dama de compañía. De pronto la vieja le pasa la mano por la cabeza y le susurra cosas al oído, ¿qué me dice, señora, qué me dice? Le pregunta entre sueños, pero la señora no le dice nada.

Es la soledad que la asusta a cada rato y la obliga a encender la luz. Son las tres de la mañana. Se pasea un rato por la pieza y siente unas ganas incontrolables de llorar.

OTRA COSA:

Le habían dicho que era un país de tigres, que estábamos saliendo del subdesarrollo, hasta había escuchado hablar a un candidato de los derechos de la mujer y una amiga le contó que un tribunal de justicia había visto, por primera vez en la historia del país, un caso de acoso sexual. Es cierto que el inculpado fue encontrado culpable y tuvo que pagar una multa, pero también es cierto que a la mujer la expulsaron del trabajo mientras a él sólo lo cambiaron de sección. Pero algo es algo, piensa ella. El país está cambiando...

Sin embargo, cuando tiene que lidiar con los problemas en el trabajo, vuelve a caer el telón de la realidad: no somos un país de tigres ni nada por el estilo, no estamos evolucionando, la discriminación de la mujer en el trabajo es tal como en los países bananeros de los cuales nos reímos tanto.

No sé cómo hay que entender esto, pero lo cierto es que una mujer sola, sin marido, que tiene que mantener su casa, pagar el colegio de los chiquillos, parar la olla todos los días, vestirse y movilizarse, no es considerada Jefa de Hogar, no se le paga un sueldo similar al que se le paga a un hombre y ella tiene que vivir con la mitad de un sueldo. Como pueda.

Se da por descontado que toda mujer cuenta con un hombre a su lado, para qué necesita más sueldo si tiene al marido, al papá, al hermano, y si no tiene marido ni papá, ni hermano, ni nada, tendrá algún amante que la ayude, tan desamparada la pajarita no será.

Es el pensamiento masculino.

–¿Y para qué quieres una casa tan grande? Ese departamento está macanudo para ti y los niños, mira, tiene dos piezas, un baño y medio, un livincito, ¿para qué más? Eso de que necesiten un lugar para secar la ropa es un gasto inútil, voy a tener que pagar el doble de arriendo por un departamento con patio de cocina, ¿para qué quieren colgar la ropa?

Es el pensamiento del ex marido.

–¿Aumento de sueldo? Fíjese en este diagrama. Quiero mostrarle el diagrama para que no crea que le estoy inventando nada. ¿Lo ve? Aquí está la presidencia de la empresa, aquí está ubicado González; bajo González, tal como usted puede ver, están las jefaturas de sección de Cisternas y Contardo, y aquí un poco más abajo está Contabilidad, ¿ve? Mire: Agüero, Catapilco, Ruiz, Pérez Rituarte, cada uno con su secretaria, ¿y ve todas las secretarias que hay para arriba, ve? Aquí está la Bertita, aquí al lado pero un poco más abajo la Angela Esquivel, acá vienen María Luz, Francisca y usted. ¿Se da cuenta? Para arreglarle el sueldo a usted, tendría que subirle el sueldo a toda la planilla, y ¿sabe cuánto le costaría eso a la empresa, en un momento en que ésta está en plena etapa de consolidación? Mire, voy a sacarle la cuenta, yo no quiero que usted crea que me estoy corriendo, quiero que vea usted misma cómo son las cosas…

Es el criterio del jefe.

Al año de estar separada, la mujer se encuentra con que se ha tenido que cambiar de casa a un departamento minúsculo, apenas cabe con los niños y tuvieron que vender el piano, porque el piano sí que no cabía.

Su sueldo es bajo, no le alcanza para vivir y mantener a los niños, no puede llevar a Cristián al oculista y de acuerdo a las tres últimas conversaciones que ha sostenido con su jefe, para obtener un aumento, se ha dado cuenta de que el aumento no llegará nunca y que ella, igual que todas las demás mujeres de la empresa, está inserta en una espiral de explotación que funciona, como un reloj, en este país donde no hay ni una sola ley que la proteja si el jefe quiere despedirla.

¿Qué hace? Nada, quedarse ahí o perder el puesto.

Hay otra salida: casarse de nuevo.

Estoy segura de que la mujer casada obtiene aumentos de sueldos con más facilidad que las mujeres solas. Su poder de negociación es muy distinto si ella puede decirle al jefe:

–¿Sabe, don Luis? Voy a renunciar.

Y si la mujer no sólo está casada sino que está casada con un senador, no tendrá ni el menor problema para que el jefe le aumente el sueldo, en ese caso ella nunca verá el organigrama de la empresa.

Y si el marido no es senador sino presidente de un banco, para qué le digo nada, el jefe la perseguirá por los pasillos para saber si está contenta en la empresa.

Por todos los caminos se llega a Roma. Lo mejor que puede hacer una mujer separada es casarse de nuevo. Es sorprendente cómo se le arreglan los problemas cuando ello ocurre. El ex marido le tiene más respeto, los niños se sienten más protegidos, y la mujer deja de sentirse un paria de la sociedad, comienza a dormir tranquila y sin el aguijón de las cuentas desvelándola, vuelve a disfrutar de las cosas normales de la vida y se le vuela esa tristeza de agua que tenía incrustada en los ojos.

LA SEXTA:

ENAMORARSE A LOS CINCUENTA

"Amémonos mi bien en este mundo
donde lágrimas tantas se derraman;
las que vierten quizás los que se aman
tienen un no sé qué de bendición.

Amar es empapar el pensamiento
en la fragancia del edén perdido,
amar, amar es llevar herido
con un dardo celeste el corazón.

Es tocar los dinteles de la gloria,
es ver tus ojos, escuchar tu acento,
es en el alma llevar el firmamento,
y es morir a tus pies de adoración".

(*Amémonos,* bolero de Manuel M.
Flores y C. Montbrun)

En su libro *Haciendo el Amor con Música,* D. H. Lawrence recomienda a las mujeres de su época: "Cuídense, oh mujeres modernas, de los cincuenta años. Entonces, cuando la comedia ha terminado, el teatro se cierra y a una la echan a las tinieblas de la noche. Si han dado un gran espectáculo con su vida, todo por su propio esfuerzo y como gran señora de su destino, muy triunfalmente, el reloj de los años de los cincuenta y la comedia ha terminado. Han tenido su oportunidad en el escenario. Ahora deben irse, salir a la noche común, donde pueden o no hallar refugio seguro".

Según Lawrence, durante veinte, treinta años, la mujer podrá precipitarse impetuosamente hacia el gran objetivo de la vida. Y entonces, los cincuenta años se acercan... la velocidad se debilita... la fuerza impulsora comienza a flaquear: el gran objetivo no sólo está más cerca, sino que está demasiado cerca. Nos rodea por todas partes. "Es un páramo de indecible lobreguez".

Si Lawrence estuviera vivo en el Chile de hoy

podría escribir estos mismos párrafos y a nadie le llamaría mayormente la atención.

La primera bancarrota vital de la mujer chilena se produce, más o menos, a esa edad. A los cincuenta, el mundo se convierte en un lugar peligroso y la mujer no sabe dónde ubicarse. Un lugar donde ella cabe, pero de manera distinta. Tiene la extraña sensación de ser indispensable para algunas cosas, pero está sobrando para otras. Pueden tomarla en cuenta para las cosas de la cabeza, pero no para las del corazón. En las mañanas se mira al espejo y le gusta lo que ve, pero no parece ser lo mismo que ven los demás, ¿o es lo mismo? ¿Es vieja o no es vieja?

Es vieja para encontrar trabajo.

–¿Cuántos años dice que tiene?

–Cincuenta.

–¿Y quiere trabajar?

–Sí.

–Voy a ponerle cuarenta y cinco, no más, ¿no ve que si don Rubén ve que tiene cincuenta no la hace pasar?

–¡Ay! Sea buenita.

–Sí, no se preocupe, le pongo cuarenta y cinco y se acabó el problema. Usted le dice que los tiene recién cumplidos.

No es vieja para las responsabilidades:

–Dígale a su mamá que la lleve.

–Mi mamá dice que está cansada.

–Cansada de qué, si no hace nada en todo el día.

–Pero eso me dijo.

–Dígale que si ella no la lleva usted no va.

–Ya le dije.

–Entonces, usted no va.

–Mis otras siete hermanas fueron, papá...

–Qué quiere que le haga yo.

–Que me lleve usted.

–Para eso tiene mamá.

Es vieja para los hijos:

–¡Qué vergüenza, mamá! ¿Eso se va a poner?

–Sí, ¿por qué?

–Ah, yo no voy.

–¿Cómo que no va?

–No voy, me da vergüenza que la vean con esa falda, se ve ridícula.

No es vieja para comprender:

–¿Qué hago, mamá?

–Hablemos.

–Sí, pero qué hago. Mi papá no puede saber esto, se va a morir.

–Nadie se va a morir.

–¿Usted me va a ayudar?

–Por supuesto que te voy a ayudar.

Es vieja para gozar:

–¿Viste a esa vieja loca que está bailando salsa en ese rincón?

–¡Cállate! Es la mamá de la Cata Artiaga.

–Pobre Cata, la compadezco.

No es vieja para soñar:

El paisaje era extenso y apacible y las cosas se hallaban sumidas en una calladura que yo sólo había conocido en sueños.

La tierra había empezado a soltar el olor a lluvia de su agua almacenada. Se veía solitaria y bella. Había montañas altas y unas más bajas, y de trecho en trecho emergían formaciones rocosas que subían al cielo, como salidas de la nada. Nunca había visto ese paraje antes y casi de inmediato me di cuenta de que no podría haberlo visto.

De pronto sentí que una mano se posaba en mi hombro. Me di vuelta y vi a Leonel. Era él, estaba segura; tenía los mismos ojos aindiados de los veinticinco años, el mismo olor a tabaco negro, la misma cara de huesos puntiagudos.

No me dijo nada y yo no le dije nada. Nos abrazamos en silencio y luego quedamos uno frente al otro, recorriéndonos con la mirada, a ver cómo nos había dejado el tiempo.

Es vieja para enamorarse a los cincuenta.

Enamorarse a los cincuenta en Chile no es visto

como algo normal, ni mucho menos. A esa edad, y para algunas cosas, una mujer está a medio jubilar saltando, pero para el amor y para el sexo se la supone jubilada del todo. Tranquilizada: ésa es la palabra.

–¿Cómo está la Tita?

–Ahí está. Tranquila, tú sabes, rodeada de nietos, lo pasa macanudo la Tita.

A veces la Tita no está tan tranquila.

–¡Mamá! Te llama la tía Tita.

–¿Aló? ¿Tita?

–Marta, qué bueno que te encuentro, ¿por qué no nos juntamos en el Copelia hoy a las cinco?

–¿Qué pasa?

–Quiero contarte algo.

–Cuéntamelo ahora.

–Por teléfono, no.

Tiene cincuenta años y se enamoró.

Esto, que en muchas otras partes del mundo sería algo de todos los días, porque al fin y al cabo qué tiene de extraño que una mujer se enamore, sobre todo si Coté Marín, el marido, ha pasado los últimos veinte años enamorándose cada verano y otoño por medio de la compañera de trabajo, la sicóloga de la Cata, la vecina de la playa y la arquitecta que les amplió la casa... Esto, que sería relativamente fácil de entender en otras partes, en Chile no lo entiende nadie.

–¿La Tita se enamoró? ¡No te puedo creer! ¿De quién?

–¿De Alberto Chavarría?

–!¿De Alberto Chavarría?! ¡Qué horror! Pobre Coté.

–Coté está destrozado y la Catita le contó a la Carolina que su mamá anda como quinceañera.

–¡Qué terrible para toda la familia, qué mujer más loca!, ¿no le haría bien tratarse con Otto Klein?

Es que el nuestro es un país contradictorio, las mujeres se enamoran a los cincuenta y las quieren mandar a la consulta de Otto Klein. Sin embargo, también se trata de un país donde las mujeres de cincuenta no se enamoran casi nunca, ¿de quién se van a enamorar?

No es que la mujer chilena a los cincuenta haya cerrado la puerta del amor, por supuesto que no; tampoco se trata de que a los cincuenta años estemos tuertas o cojas o demasiado gordas.

Vamos a ponerlo así: en buena parte del mundo de hoy una mujer de cincuenta años sigue siendo joven, hermosa, vital. Las chilenas también. El problema reside en que para bailar tango se necesitan dos y una mujer de cincuenta años en Chile, difícilmente encontrará un chileno que se enamore de ella.

Los hombres se empiezan a enamorar por ahí por los quince y siguen enamorándose hasta pasados los sesenta, pero de década en década van bajando de edad a la novia.

Si Chile fuera un país como Estados Unidos, haría mucho rato que existiría un cuadro explicativo de esta situación:

EDAD DEL HOMBRE	EDAD DE LA MUJER	ESTADO CIVIL
15	14	Soltero
25	22	Casado por 1a. vez
35	21	Amante
52	25	Casado por 2a. vez
60	41	Viudo
85	62	Muerto
120	64	Resucitado

Como puede apreciarse en el cuadro, la mujer de cincuenta años no cabe en ninguna parte.

Ayer escuché decir que existía un estudio estadístico (voy a buscarlo para comprobarlo) donde se decía que era más fácil ser asesinada por un guerrillero que encontrarse un novio (de cualquier edad) a los cincuenta años. Y que era más fácil encontrarse con la pezuña de un burro en la sopa de berenjenas de un restaurante vegetariano, que casarse de nuevo a los cincuenta y dos. Y que una mujer de cincuenta años encontrara a un hombre de los mismos cincuenta, que se enamorara de ella y quisiera casarse, era más difícil que casar a la reina Isabel con Ricardo Lagos.

Ha habido casos de mujeres que se han enamorado de hombres más jóvenes y probablemente se han arrepentido para el resto de sus vidas. ¡Ahí sí que la condenaron! "Vieja degenerada, qué se ha imaginado".

–¿Supiste la última de la loca de la Rebe?

–No.

–Le levantó el novio a la niñita de la Carmen Luz Andreu.

–¿Verdad?

–Te juro. El chiquillo tenía un taller de literatura y la Rebe se matriculó en marzo y qué me dices tú que ¡chas! se enamoraron como locos y el chiquillo dejó el taller tirado y se fue con la Rebe a Chiloé y desde Chiloé le mandó la carta a la niñita de la Carmen Luz y la Carmen Luz me llamó desesperada; Cotelo habló con un general amigo que tienen, a ver si le podían mandar a los carabineros, pero el chiquillo es mayor de 21 años y no hay nada que hacer.

En sociedades tan conservadoras como la nuestra, la mujer tiene que apuntarle al primer tiro, sacarse la lotería al primer matrimonio, casarse con su alma gemela la primerísima vez o separarse muy joven, para casarse de nuevo, pero si la pareja se separa cuando ella bordea los cincuenta, su círculo se estrecha de manera dramática y se hacen realidad las palabras de D.H. Lawrence: la comedia ha terminado, el teatro se cierra y a una la echan a las tinieblas de la noche.

TRATANDO DE ENTENDER

Cuando se ha vivido muchos años en Estados Unidos o en cualquier país donde tener cincuenta años es más bien un "plus" que un "minus", y se pasa la vida regresando a Chile a cada rato, como es mi caso, una se hace nudos intentando comprender por qué los hombres chilenos, de cincuenta años, prefieren a las mujeres de entre treinta y treinta y cinco y no a las de su edad.

–Porque las de cincuenta están viejitas, pues mijita –me diría mi buen amigo Coté Marín mientras me alcanza un pedazo de asado que acaba de sacar de la parrilla–. Porque están pasaditas, pues, mi linda, qué quiere que le diga. Póngase en mi caso. La Tita se arrancó con ese vejestorio, porque el viejo tenía plata, no vaya a creer que fue por otra cosa, el viejo estaba forrado. Me quedé solo. Ya. Me quedé solo. Por un rat. ¿Pero usted cree que si me caso de nuevo me voy a arrimar a una vieja? Nica. Ni aunque sea multimillonaria. No pues, mijita, uno se busca una pollita nueva. Eso es lo que corresponde.

ESO ES LO QUE CORRESPONDE

Y al fin del cuento, Coté Marín tiene razón. Algo ocurre en Chile que a las chilenas también les gustan los hombres mayores.

Es como si a partir de los treinta y cinco años se produjera un desajuste y en lugar de quedarse ambos en un mismo nivel, ellos van para abajo y ellas van para arriba.

Lo cierto es que la mujer de cincuenta está más que frita, de quién se va a enamorar, los viejos de setenta y ochenta años están casados de nuevo, los jóvenes están prohibidos por la sociedad (amén de que muy pocos se fijarían en una "vieja" de cincuenta) y los de su misma edad tienen los ojos cerrados para ella y abiertos para las mujeres de entre treinta y treinta y cinco años.

Es frecuente ver a mujeres de entre cincuenta y sesenta años emparejarse con unos verdaderos adefesios, unos tipos que las tratan mal, medio borrachos, feos, van a visitarlas cuando les da la gana y cuando no tienen nada mejor que hacer y pasan la mitad del romance diciendo que no se van a casar con ellas.

Este tipo de caballero es algo así como lo que botó la marea de las mujeres jóvenes, la sobra, lo que ninguna quiso llevarse consigo y ha quedado tan solo como la mujer de entre cincuenta y sesenta años que se enamoró de él, mejor dicho: que tuvo la mala fortuna de enamorarse de él.

Esa canción que dice "Tengo el pelo completamente blanco, pero voy a sacar juventud de mi pasado y te voy a enseñar a querer, como nunca has querido, ya verás lo que vas a aprender cuando vivas conmigo..." Esa canción, en Chile, nunca podría cantarla una mujer de cincuenta años.

Para empezar a conversar tendría que teñirse el pelo completamente negro, no hablar nunca de su pasado (como si hubiera nacido ayer) y ni sugerirle al joven que viva con ella, porque la condena social que le caería encima la dejaría con el alma temblando y el corazón partido.

LA SÉPTIMA:

ABANDONAR EL HOGAR

"Necesito olvidar
para poder vivir,
no quisiera pensar
que todo lo perdí,
en una llamarada
se quemaron nuestras vidas,
quedando las pavesas,
de aquel inmenso amor.

Y no podré llorar,
tampoco he de morir,
mejor guardo silencio
porque ha llegado el fin.
Lo nuestro terminó
cuando acabó la luz
como se va la tarde
al ir muriendo el sol"

(*Llamarada,* bolero de
Jorge Villamil)

"Querido Alberto:

Te escribo estas pocas palabras para decirte que en el refrigerador hay carne para cinco años, te dejé la cama hecha y tu chaqueta azul está en la tintorería, me voy con Cristián. Cariños,

LAURA"

Esta carta, que en algunos países no sería considerada tan extraña y que yo leí en una novela, en Chile provocaría un escándalo.

Alberto la leería sin poder dar crédito a sus ojos, acto seguido llamaría a su secretaria para decirle que en la tarde no irá a la oficina, luego se comunicaría con su abogado, estarían reunidos hasta las cinco y Laura, sin saberlo todavía, se habría puesto la soga al cuello, porque en Chile una mujer puede hacer lo que quiera cuando el marido le tiene los huesos molidos y el corazón electrocutado, lo que quiera, hasta matarlo, pero no puede abandonar el hogar.

Lo primero que hace un hombre cuando una mujer abandona su casa, mucho antes de sufrir, antes de sentirse humillado y ofendido, antes de contarle a su mejor amigo que la Laura se fue con Cristián y antes de llamar a su mamá, es quitarle a los niños. Por ley. Para eso, los abogados siempre están dispuestos.

La pregunta es si le está quitando a los niños, porque los niños van a estar mejor con él que con su madre y el nuevo marido, o se los está quitando porque la partida de la Laura apuñaló su hombría, la Laura lo dejó en ridículo, en Chile los que se van de la casa son los hombres y no las mujeres.

Eso dependerá de los distintos casos, pero la verdad es que aquí los hombres les quitan los hijos a las mujeres que se enamoran de otro y se van.

Mientras más plata tengan, más seguramente se los van a quitar.

Un hombre que quiere hacerse cargo de tres o cuatro chiquillos necesita toda una infraestructura que los pobres nunca tienen. Necesita una niñera para que se los cuide, una empleada que corra con la casa, una casa en la playa para llevarlos a veranear, un auto para llevarlos y traerlos del colegio y a veces necesita hasta un chofer.

Pero por sobre todas las cosas necesita una buena situación económica que le permita conquistar a otra mujer y reemplazar a la Laura por alguien, porque algo que los hombres no están dispuestos a hacer, bajo ninguna circunstancia, es quedarse solos con los chiquillos por los próximos quince años.

Eso, no.

Lo probable es que el marido abandonado se reponga rápidamente, comience a salir con otra y se case o simplemente se case con la misma amante con que estaba saliendo desde hacía un año y medio, cuando la Laura se enamoró a su vez y se fue.

Enamorarse de otro e irse con el otro a empezar una nueva vida es un pecado que aquí no se perdona. No lo perdona el marido, no lo perdona la sociedad y no lo perdonan los Tribunales de Justicia. No hay que hacerlo jamás.

–¿Qué hago entonces?

–Lo que quiera, hijita, pero no se vaya de la casa.

–Pero, mamá, Alberto lleva un año y medio saliendo con esta niña, antes fue su romance con la María Inés, el año ante pasado se metió con la secretaria de don Julio, yo no aguanto más.

–Haga lo que quiera, pero no se vaya de la casa. Si alguien debe irse es Alberto, no usted.

Alberto no se irá nunca, a menos que Laura lo eche y si Laura lo echa, él deja de pagar las cuentas, y si él deja de pagar las cuentas, a Cristián ya no le parece tan atractivo el panorama, y si a Cristián deja de gustarle el panorama, Laura se queda sola, y si se queda sola tiene que buscarse otro Alberto.

"Querido Alberto:

Te escribo estas pocas palabras para pedirte que hablemos las cosas. Yo sé que tú andas con la

Marisol Arguedas desde hace más o menos un año y medio. De más está decirte lo doloroso que ha sido todo esto para mí. ¿No podríamos hablarlo, ver si conversando los problemas nos entendemos?

Quería decirte esto personalmente, pero no me atreví, te veo en la noche, cariños,

LAURA"

Esa noche Alberto llega un poco más temprano. Ha recibido la nota que Laura le ha dejado en su oficina, ha pasado a comprarle un ramo de flores, qué bueno que la Laura quiera que hablemos las cosas, pero yo ni muerto le confieso lo de la Marisol, no me lo perdonaría en toda la vida, nuestra convivencia sería un infierno. A los quince años mi papá me dijo: "Hay algunas cosas que me gustaría decirte, Alberto, ahora que te estás haciendo hombre, la primera es que a las mujeres no hay que contarles la firme nunca, ni con un cuchillo al cuello, lo único que hay que decirles es lo que ellas quieren oír".

–¿Gorda...? Llegué.

La gorda está en la cocina terminando de preparar el fricasé. También ha regresado más temprano del colegio donde trabaja, por la voz de Alberto sabe que la secretaria le ha entregado la nota. Y por la hora. Alberto nunca llega a las siete.

Ha estado ensayando toda la tarde cómo se lo va a decir:

"Alberto, mírame a los ojos, yo sé que estás saliendo con la Marisol, me lo dijo la Macarena, ella los vio juntos en el Tavelli y después se encontró con ustedes en el teatro Espaciocal, el jueves de la semana pasada. ¿Tú crees que la Maca está inventando?"

No, así no.

"Alberto, mírame a los ojos, ¿por qué no hablamos francamente? ¿Tienes otra mujer? Yo prefiero que me lo digas de frente".

Así tampoco.

"Esto va a ser cortito, Alberto, te prometo, el matrimonio es un negocio de a dos y yo sé que hace más de un año que estás saliendo con la Marisol, aquí se acabó la historia..."

Así, de ninguna manera.

"Alberto, ¿te acuerdas cuando recién nos conocimos, en Reñaca? ¿Te acuerdas de las cosas que nos prometimos? ¿Te acuerdas cuando hacíamos planes para casarnos, planes con los hijos que íbamos a tener? ¿Te acuerdas?"

Así voy a empezar, piensa mientras abre el tarro de arvejas. En eso escucha la llave en la puerta.

–¿Gorda...? ¿Anda por ahí? ¡Ya llegué!

Se sientan en el living, Alberto le ha entregado las flores y le ha dado un beso en la frente. Ella le ha preparado un trago. La casa está silenciosa. Laura le ha pedido a la Cleme que lleve a los niños chicos a la casa de su mamá. Falta un cuarto para las ocho de la noche, es invierno, hay una pesadez de tormenta en el aire, dijeron que iba a llover, el cielo se ha ido nublando y la naturaleza está recogida y quieta, esperando el agua.

Laura lo mira con esos ojos redondos y esa mirada completa que lanzan las mujeres a los maridos un minuto antes de preguntarles si tienen una amante.

Y toma la palabra:

–Alberto, ¿te acuerdas cuando recién nos conocimos, en Reñaca? ¿Te acuerdas de todas las cosas que nos prometimos? ¿De los planes que hacíamos para cuando nos casáramos y tuviéramos hijos?

–Por supuesto que me acuerdo, gorda, pero ¿de esto es lo que quería que habláramos?

–No, de esto, no, sino de lo que ha estado pasando con esos planes.

–¿Qué ha estado pasando con esos planes? Yo encuentro que salvo uno que otro problema que tenemos, normal en cualquier matrimonio, estamos macanudo, gorda, ¿qué dice usted que ha pasado con los planes?

–Alberto, mírame a los ojos.

–Pero si la estoy mirando.

–Dime la verdad.

–¿Cuál verdad, gorda, de que está hablando?

–De la Marisol.

–Qué pasa con la Marisol.

–Que tú estás saliendo con ella.

–¿Está loca? ¿Quién le dijo esa estupidez? ¡Cómo se le ocurre, gorda! Me extraña.

–¡Alberto!

–¡No me grite!

–¡La Macarena te vio salir del teatro Espaciocal y antes del Tavelli.

–La Macarena es una chismosa.

–Pero te vio.

–No es cierto… Gorda, míreme a los ojos. ¿Usted cree que yo no la quiero a usted? ¿Usted cree que si yo estuviera enamorado de otra seguiría viviendo con usted? ¿Usted cree que a mí, los niños, por ejemplo, no me importan?

–¿Por qué eres tan hipócrita? ¿Por qué no me dices la verdad?

Alberto se queda mirándola con esa cara de desconcierto y esos ojos medio cerrados y esa mirada oblicua que pone el marido un minuto después que la mujer le ha preguntado si es cierto que tiene una amante.

Luego viene un portazo, Alberto ha salido de la casa, y esa noche, Laura lo espera con la camisa de nylon nueva que ha comprado la semana pasada, a ver si las cosas se arreglan un poco; él vuelve hacia las dos de la mañana y cuando la ve sentada al borde de la cama, con el camisón nuevo transparente y el rostro entre suplicante y tenso, trata de acercársele, pero no puede. La encuentra indefensa y patética, le da lástima su mirada triste, su cuerpo delgado bajo la camisa transparente. Trata de acercársele, pero acaba de despedirse de la Marisol, y no puede.

Sigue pasando la vida. Alberto termina su relación porque Marisol quiere forzarlo a separarse de Laura, conoce a otra mujer en la oficina de don Julio, con don Julio deciden arrendar un departamentito en Carlos Antúnez con el Bosque, un barrio tranquilo para llevar de vez en cuando a una mujer interesante, se lo turnan.

Laura ha quedado embarazada de nuevo, Alberto ya no anda con la Marisol, "pero a mí me quedó doliendo el alma, mamá".

–Ay, hijita, todos los hombres son iguales. Si yo le contara las cosas que me hizo su papá.

Pasa otro poco de tiempo. Alberto se enamora de la sobrina de don Julio. Esta vez, le confidencia a un amigo íntimo, se ha enamorado en serio, pero tendrá el doble de cuidado, si se entera la Laura, lo expulsará de la casa, seguro que ahora lo expulsa, "así que callampín el loro, Luchito".

A los quince años, su papá le dijo que las mujeres no perdonan nada, pero un amor en serio no sólo no lo perdonan, sin que se vengan.

–Este cuento te lo he oído otras veces, Laura. ¿Hasta cuándo vas a aguantar los devaneos amorosos de Alberto? ¿Por qué no te separas de él?

–Estoy desesperada, Amanda, la sobrina de don Julio tiene veinticuatro años, ¿te imaginas? Si es un poco mayor que la Cata.

–Mándalo al diablo. Tú eres joven, puedes rehacer tu vida.

–¡Cómo! Con los cuatro niños, sin un peso, Juanito de cinco años, acuérdate que no tengo carrera, con mi sueldo del kinder no me alcanzaría para nada y tú sabes cómo es Alberto, ¿tú crees que me ayudaría si yo decidiera separarme? No me ayudaría.

Y en eso está Laura, con una mano sujetándose la angustia y con la otra dándole la comida a Juanito, cuando la llama su amiga Amanda por teléfono. Ya que Alberto anda en viaje de negocios, ¿por qué no se van juntas el fin de semana a la playa? Deja a los niños con tu mamá, te hace falta distraerte, vamos a pasarlo macanudo, mi tía Elvira me prestó la casa… Y se van.

En la playa conoce a Cristián.

–¿Qué hago, mamá?

–Lo que quiera, no abandone su casa.

–¿Hasta cuándo cree usted que voy a seguir aguantando? Cristián es un hombre completamente distinto, estamos perdidamente enamorados, es el hombre con quien debí haberme casado hace veinte años.

–Meta a Cristián en el closet, que duerma en un saco de dormir en el garaje, arréglenselas como puedan, pero si quiere conservar a sus hijos, quédese en su casa.

Ya es tarde para hacerle caso a la mamá. Ha pasado mucho tiempo, demasiados desengaños, mucha tristeza y poca pasión. Entonces, ella va y comete el error:

"Querido Alberto:

En el refrigerador hay carne para treinta años, dejé toda tu ropa en la tintorería, el sueldo de la Cleme está pagado hasta el quince, me voy con Cristián, que tengas una vida feliz y una muerte tranquila, cariños,

LAURA".

A la vuelta de su viaje, Alberto lee la carta sin poder dar crédito a sus ojos, llama a la secretaria para decirle que esa tarde no irá a la oficina, luego llama a don Julio, es una suerte que su abogado sea, al mismo tiempo, su socio, se reúne con don Julio hasta las cinco y Laura va camino a Buenos Aires con Cristián, han decidido pasar unos días juntos, hablar del futuro, ver cómo harán las cosas, quieren casarse cuanto antes y que los niños vivan con ellos, naturalmente, dice Cristián, él la quiere con sus hijos y con todo... En el avión conversan de la casa donde van a vivir, de cómo van a organizarse con los niños, "los niños te van a querer, estoy segura", se miran a los ojos, brindan por la vida que los espera.

Será el último brindis de Laura en mucho tiempo, después de ese viaje no tendrá nada que celebrar, porque aunque ella no lo sabe todavía, se ha cavado su propia tumba y se ha puesto la soga al cuello: entre don Julio y Alberto han arreglado todo lo que debe arreglarse y Alberto le quitará los niños. Por ley. Y allí no terminará la pesadilla de Laura. Sobre ella caerá el oprobio, la condena social más absoluta y el inevitable calificativo de prostituta.

LA OCTAVA:

SER MAMÁ POR CELULAR

"Peregrina de ojos claros y divinos
y mejillas encendidas de arrebol,
mujercita de labios purpurinos
y radiante cabellera como el sol".

(*Peregrina,* bolero de Luis Rosado Vega
y Ricardo Palmerín)

Los movimientos de la vida se dan por turno. Generación por medio. Una generación gana la plata, la otra la hereda y la gasta. Una generación impulsa el cambio, la siguiente lo aprovecha y se detiene. Una generación hace el país, la próxima lo tira por la ventana.

Con la mamá parece ocurrir lo mismo. Si en el Chile de los sesenta tocó mamá moderna, progresista y medio chiflada, hoy toca mamá conservadora, post moderna y asustada.

Y está bien. Yo no me quejo, al contrario, todo cuanto está ocurriendo en el mundo es tan asustante que es mejor educar a los hijos con el tejo pasado para atrás.

Sin embargo, a cada rato me entra una tremenda nostalgia por esas mujeres de antes, esa mamá que ya no existe y que ha sido reemplazada por esta mamá post moderna que se comunica con el mundo a través de un celular.

Por allá por los sesenta la mamá andaba en Citroneta, tenía amores en vez de "proyectos", la plata no era de ninguna manera lo más importante para ella, y podía morir soñando sentada en una silla, pero soñaba.

Hace poco tiempo fui a comprar a un Unimarc y la nostalgia por la mamá de antes se me hizo tan viva que me llegó a doler. Delante mío iba una mujer estupenda, de entre cuarenta y cincuenta años, elegantemente vestida, quemada por el sol de la nieve porque era pleno invierno, exhalando un perfume como de rosas ahumadas, con un celular en la mano.

–¿Aló, Rosa? Voy entrando al Unimarc, Rosa, ¿qué fue lo que me dijo que le faltaba?

Un poco más allá, la mujer volvió a comunicarse.

–¿Rosa? Estoy en la hilera de los tallarines, ¿le llevo de los con huevo o de los sin? ¿Llamó alguien? Si me llama la Lila, dígale que voy a llegar un poco tarde, pero que ya voy.

En el pasillo de las conservas volvió a llamar.

–¿Sabe, Rosa? No encuentro aceitunas negras ¿no podríamos echarle de las verdes? Ah, no, mejor hagamos otra cosa: ¿por qué no va al Unimarc de abajo y ve si encuentra de las que están importando de Grecia? ¿Llegó la Carola? ¿No ha llegado? ¡Ay! Rosa, ¿por qué no sale a la esquina a esperarla? No le vaya a pasar algo, la Carola es tan pajarona. Ya, no la molesto más, nos vemos más ratito.

Y cortó, pero se le había olvidado decirle algo, así que marcó otra vez.

–¡Ay! Rosa, perdone que la moleste tanto. ¿Por qué no va al segundo cajón de mi cómoda y ve si tengo medias?

Se quedó esperando un rato y dos minutos más tarde:

–¿No tengo? Un millón, entonces aprovecho de comprar.

En los vinos se detuvo de nuevo.

–¿Bertita? Soy yo. ¿Está don Antonio? Ayyyy, dígale que es urgente.

Estuvo esperando un rato y luego:

–¿Gordo? Hola, mi amor, cómo está, ¿se acuerda del vino californiano que usted me dijo que había visto Lucho en el Unimarc? Es que estoy en el pasillo de los vinos y no lo encuentro. Trate de no llegar tarde, gordo, la Cata es lo más puntual de la tierra. ¿Kendall? Ah, ya, gracias, lindo, adiós.

Son tiempos distintos, desde luego, pero se echa de menos a esa otra mujer.

Cada vez que me acuerdo de la mamá de mi amiga Carola, por ejemplo, vuelvo a sentir la emoción y la envidia que sentíamos cuando éramos niñas. La considerábamos una mujer fascinante, era moderna, progresista, encantadora. Fumaba y nos daba cigarrillos a los trece años, tomaba pisco sauer y nos convidaba, a veces nos permitía manejar su citroneta y ni siquiera le importó tanto cuando una de nosotras chocó la cascarria contra un árbol.

–A ver, chiquillas, háblenme de los pololos–nos pedía y a la primera anécdota estaba preguntándonos si nos dábamos besos en la boca, si nos acostábamos con ellos, si tomábamos píldoras, y nosotras nos quedábamos mirándola con la boca abierta, medio horrorizadas y sin saber qué decirle, pero de todas formas envidiábamos a la Carola. ¡Qué suerte tener una mamá así!

Cuando la Carola, que era su única hija, se casó, su mamá se fue a vivir a Tahiti. Hacía varios años que se había separado del marido, ahora tenía cincuenta y quería rehacer su vida.

No más llegar la señora a Morea comenzaron a llegar las cartas donde contaba sus aventuras con un amante francés que había conocido en la isla.

La Carola nos leía sus cartas en voz alta, presa de una emoción conmovedora y nosotras escuchábamos la historia de ese amor con el corazón en la mano y suspirando.

"Carola de mi corazón:

"La mañana en que Jean Pierre llegó a mi vida había amanecido brumosa, como amanecen todas las mañanas en esta parte de Morea. La neblina bajaba por los cerros y su manto blancuzco y aguachento apenas dejaba ver las copas de los árboles.

"Eran cerca de las siete, yo me había levantado al alba para sentir la salida del sol en mi cuerpo.

"Me encontraba sentada frente a mi cabaña, leyendo *El Amante de Lady Chatterley*, cuando sentí una presencia cerca de mí y levanté la cabeza.

"Detrás del tronco de la palmera, a pocos metros de donde yo estaba, asomaba su rostro.

"–Me estabas espiando.

"–No

"–¿Desde cuándo estás ahí?

"–Desde que llegaste.

"Lo observé detenidamente. Era la primera vez que lo veía. Tenía los ojos medio verdes y brillantes, una boca larga y sensual, una mata de pelo negro que le salía desde casi encima de las cejas. Apenas tenía frente, pero eso, en vez de afearlo, le hacía gracia. Me miraba con fijeza. Con una fijeza que daba susto y placer al mismo tiempo. Yo también lo miraba. Me puse nerviosa y me reí...".

En esa parte de la carta, la emoción de la Carola era tan grande que se ponía a llorar.

–Ya, pues, Carola, déjate de tonteras y sigue leyendo.

Y ella seguía:

"Esa noche fuimos a la isla del pingüino. Y ahí me acarició el cabello, la frente, las cejas, la nariz, la cara, la boca, el cuello, la cintura, la pierna derecha y me miró con esa fijeza suya, sin hablarme casi, y luego me besó como yo no sabía que era posible que me besara nadie, y volvió a acariciarme de vuelta y yo empecé a marearme, a perder la voluntad, a no saber dónde me encontraba y a no importarme el tiempo, ni el mar, ni la isla ni los pingüinos, ni nada".

Después de la lectura regresábamos a nuestras casas y no podíamos dormir.

Al mes siguiente, la Carola nos volvía a llamar. Había llegado otra carta de su mamá y nosotras volábamos a su casa.

"Carola de mi corazón:

"Jean Pierre es un hombre extraño al que estoy comenzando a amar profundamente. Esta mañana volvimos a la isla del pingüino y ahí, bajo la luz del mediodía, en medio de un silencio tan profundo que permitía escuchar los pensamientos de la entraña de la tierra, me confesó que él era un Xilú.

"Los Xilú son unos seres diminutos que habitan los espacios que existen entre el sueño y la realidad, me explicó. Tienen poderes. Pueden introducirse en el sueño de la gente. Poseen una memoria portentosa. No se enredan nunca con desperdicios materiales. Son livianos de equipaje, pueden viajar por los meandros de la tierra, los que existen y los que no existen también. Saben reconocer los lugares donde Dios ha estado siempre, los lugares donde Dios ha estado sólo de pasada y los lugares donde Dios no ha estado nunca. Saben leerle el corazón a la gente, cantan en varios idiomas y se entienden con la tierra.

"¡Ay!, Carola de mi corazón, me emocioné tanto con todo lo que me dijo que lo convidé al río. Y allí volvió a acariciarme la profundidad del pelo, el entorno de las cejas, los labios, la parte derecha de la cara, el cuello, la cintura, y sus manos se trocaron en palomas calientes que me revoloteaban el cuerpo, y entre sus manos y la fijeza de sus ojos callados perdí la voluntad y entré en una espiral de temblores, y cuando estaba a punto de estrellarme, Jean Pierre podría haber hecho conmigo lo que hubiera querido, hasta matarme, y a mí no me habría importado nada".

En los tiempos conservadores que corren no sería posible una mamá así.

Lo primero es que muy pocas hijas se emocionarían porque la mamá se anda besuqueando con un "Xilú" en la isla del pingüino, en Morea. Lo segundo es que la mamá del celular ya no quiere ir a las islas a rehacer su vida sino a Miami a molear. Y la carta que mandaría a su Carola de estos tiempos no sería, de ningún modo, como la que hemos visto sino así:

"Carola de mi corazón:

"¡Qué bueno que le haya ido bien en la Prueba de Aptitud Académica! No sabe cuánto me alegro por usted, por el papá que estaba tan preocupado y por mí misma, me siento orgullosa de usted y estoy segura de que será una estupenda ingeniera comercial.

"Futuro asegurado, gorda, linda carrera, billete largo, todo, un millón de oportunidades de trabajo. La felicito.

"Vuelvo el quince, nos ha ido fantástico con la Tita, hemos comprado la mitad de Miami, hace un calor espantoso, nadie diría que es pleno invierno.

"Preocúpese de que la Catalina se acueste temprano, no quiero que salga sola a ninguna parte y que no se quede en la noche viendo televisión ni jugando con el computador con ese niñito, me carga ese niñito, le hallo cara rara.

"Otra cosa, linda: que a Toñi no se le ocurra irse en la Vitacura al colegio, échele una miradita usted, hace rato que lo noto con ganas de andar solo en micro y yo le tengo pavor a la locomoción colectiva. No le vaya a pasar algo.

"Bueno, mi amor, cuídese un montón, ayúdele a la Cleme y dígale al papá que le compré los palos de golf, un beso,

LA MAMÁ"

"PD: Gorda: se va a morir cuando vea el celular que me compré. Tiene musiquita".

En los tiempos que corren le han puesto musiquita a casi todo, como si se temiera que el hombre, enfrentado al silencio y a sus propios pensamientos, fuera a enloquecer.

Son tiempos revueltos. Hay una extraña mezcla entre la vuelta a los valores tradicionales de la familia y el frenesí por tener plata y cosas y rodearse de una tecnología desquiciante.

La mamá del celular suele ser hiper conservadora, pero al mismo tiempo vive pendiente de la tecnología. Para todo hay una máquina. Se comunica con las empleadas por citófono, con sus niños por celular. En su postmodernismo puede encontrarse rezando el rosario en el escritorio de la casa, con una mano, y con la otra llamando por citófono a la cocinera para decirle que no le ponga alcaparras a la salsa de la corvina. Con una mano se golpea el pecho y con la otra hace la lista de las cosas que va a comprar en Miami, cuando vaya con la Tita a molear. Es como si Dios se hubiera casado con el Mall y ella fuera la dama de honor.

Sí, son tiempos confundidores y asustantes...

Cuando se observa el destino que tuvieron las ideologías, las revoluciones, los gobiernos del pueblo para el pueblo, el amor libre y las utopías que adornaron nuestras cabezas en los sesenta, da susto y se comprende por qué muchas mamás de celular viven aterradas con lo que pueda ocurrirles a sus hijos y optan por la educación tipo convento, moleando en Miami, pero tipo convento. Menos comprar cosas, todo es pecado.

La sociedad se ha vuelto tan violenta y el ambiente tan amenazante que la mamá de los sesenta mira lo que está pasando y siente que ella fue inocente, creer en la posibilidad de un mundo igualitario era naif y no contar con lo pendulares que son y han sido siempre los movimientos sociales era más naif aún.

Muchas creyeron que la izquierda tenía la clave para solucionar las miserias más importantes del hombre, la Unión Soviética era un reino de justicia e igualdad, Fidel Castro era un héroe.

Cuando comenzaron a caer los muros de Berlín, las estatuas de Lenin y a saberse que los cubanos de la isla no estaban todo lo contentos que se creía que estaban, tenían pocas cosas que comer y ninguna libertad y aspiraban llegar a Miami, aunque fuera a nado, los sueños de los sesenta se estrellaron de una manera brutal.

Será porque en el umbral de la vejez todas nos ponemos más conservadoras, será porque después de los cincuenta viene la revisión de la vida o será por las características de estos tiempos, no sé por qué será, pero lo cierto es que la mamá de los sesenta suele sentir que quizás fue demasiado permisiva, no rayó la cancha con suficiente claridad, tal vez debió educar a sus hijos de una manera más tradicional...

Chile ya se conectó al mundo sin secretos, donde los trapitos sucios de los países ya no se lavan en la casa sino en la CNN. Ya llegó la televisión por cable esparciendo las miserias de los "serial killers", los O.J. Simpson y la mamá que lanzó el auto con sus guaguas en el asiento de atrás a un lago. Llegaron los MacDonalds, los correos electrónicos, las contestadoras telefónicas, los cajeros automáticos y todas las marcas conocidas. Llegó el Sida y llegó la droga. Como a todas partes.

En un mundo así, donde casi todo da miedo, ¿quién se atrevería a ser como la mamá de la Carola de los sesenta? Probablemente nadie. Sin embargo, cuesta resignarse a que la mamá del celular moleando en Miami sea quien reemplace a la soñadora de cincuenta que se besaba con Jean Pierre en la isla del pingüino.

LA NOVENA:

TENER UN MARIDO FANÁTICO

"Yo estoy obsesionado contigo
y el mundo es testigo de mi frenesí,
por más que se oponga el destino
serás para mí, para mí.

Por alto está el cielo en el mundo,
por hondo que esté el mar profundo
no habrá una barrera en el mundo
que mi amor profundo no rompa por ti".

(*Obsesión*, bolero de Pedro Flores)

Hoy por hoy, los desafíos en la vida de una mujer son muchos y de variados tipos: atravesar la adolescencia sin matar a la mamá y sin haber caído en una depresión temprana o en la droga, terminar una carrera y lanzarse a la jungla del trabajo, casarse y sacar el matrimonio adelante, criar a los chiquillos de modo que no maten a la mamá, no caigan en la droga ni se depriman, pasar a comprar la carne después de la oficina y llegar de buen talante a la casa, acarrear los bidones con parafina, tratar de congeniar con el jefe... Son decenas de pequeños, medianos y grandes desafíos, pero uno de los más grandes, estoy casi segura, es tener un marido fanático.

Los hombres suelen ser fanáticos en todas partes y tengo la impresión de que en países jóvenes, como el nuestro, son más fanáticos que en ningún otro lado, es como si se les metiera algo de pionero en el alma y anduvieran por la vida haciendo patria, forjando la historia, iniciando en Chile lo que en otras partes ya se ha iniciado, siendo "el primero" que hizo esto y "el primero" que hizo esto otro.

El Fito Carroza fue el primero que trajo las lapiceras Parker, Coté Marín fue el primero que importó un Toyota, ¿supiste la idea genial de Pablito Zamorano? Trajo un Mac Donald. ¿Te conté lo que se le ocurrió al Cotelo Andueza, poner un Food Mart en la bomba de bencina, como en Estados Unidos?

Otro ha sido el primero en traer una máquina para tomar mamografías, o el primero que realizó un trasplante de riñón, el primero que escribió un best seller que se vende en todo el mundo, el primero que escribió un libro de historia sin que la obra de Encina y Castedo le estuviera dictando la interpretación de los hechos; el primero en descubrir que se puede ser socialista, pero a la manera de Felipe González, renegando de ciertos dogmas obsoletos y haciéndole todos los guiños necesarios al capitalismo, por encima o por debajo de la mesa; y el primero que dijo en público que la derecha y la izquierda podían entenderse, con o sin Pinochet, y que se juntaran el martes en la Embajada americana, a tomarse un whisky y arreglar el asunto del futuro.

Los hombres suelen ser obsesivos con lo que hacen, con casi todo lo que hacen, pero si además han sido el primero en hacer tal o cual cosa, se obsesionan aún más.

Si escribió un best seller, no tarda ni una semana en aparecer entrevistado en todas las revistas, inmediatamente se erige en columnista y empieza a hablar de cosas que a lo mejor ni sabe; si fue el primero en decir en público que la derecha y la izquierda debían juntarse a conversar, en quince días aparecerán por lo menos cinco artículos suyos explayándose sobre este mismo tema, tres o cuatro entrevistas y a lo mejor un libro.

Los pioneros se obsesionan con lo que hacen o dicen, se vuelven reiterativos y a poco andar quedan convertidos en un marido fanáticamente enamorado de su discurso, de su invento, de lo que ha escrito, y de él mismo. Y los que no son pioneros no aparecen entrevistados ni escriben artículos sobre sus ideas, pero son igualmente fanáticos con lo que hacen.

Si el marido fanático viviera solo, no importaría tanto, la soledad es un buen caldo de cultivo para las obsesiones, es cierto, pero también es una de las pocas instancias donde este tipo de marido puede vivir sin perturbar a nadie.

Pero como no es así y los maridos no viven solos, al lado de cada fanático hay una mujer que debe escuchar su discurso, apoyarlo en su campaña, leerle su manuscrito, enterarse de su teoría.

EL LOCO DEL MICROSOFT

Uno de los fanáticos más difíciles para convivir y probablemente el más aburrido de todos, es el experto en computación.

Este hombre está casado con su computadora y en vez de corazón tiene un microsoft.

No tiene otro tema que la computación, su ídolo es Bill Gates, su felicidad es un Windows 95 y su dicha un Laptop.

Sabe de computación todo lo que es posible saber y lo que no sabe lo inventa.

Conoce al dedillo el Cobol, el Assembler y el RPG y habla de ellos como quien habla del inglés, el francés y el italiano, aunque ya nadie use esos lenguajes y nadie sepa, a ciencia cierta, de qué se tratan.

Comenzó trabajando con un IBM 360, por allá por los sesenta, y ése, no una morena de ojos pardos, fue su primer amor. Habla del 360 acariciándose la memoria:

–Lo recuerdo con nostalgia, gorda.

Sus mejores tiempos fueron aquellos en el Instituto de Programación Electrónica, el ECPI, en Filadelfia, donde obtuvo una beca para aprender programación a los dieciocho años.

–¡Qué tiempos, gorda! La computación estaba en pañales, imagínese que en ese entonces había perforadoras de tarjetas y ¿sabe de qué porte era el 360? Como un armario, era tan grande que teníamos una pieza sólo para el computador, una pieza entera, quién iba a decir que treinta años más tarde yo iba a trabajar en un Laptop, mire esta cosita, si cabe en una maleta.

Son las once de la noche.

El experto en computación ha estado encerrado con su computador desde que llegó de la oficina.

–Voy a trabajar un rato, gorda.

Y no salió hasta la medianoche.

A las doce y cuarto aparece en la cocina con las mechas paradas, los ojos redondos y algo en el estómago que no sabe lo que es, pero que es hambre.

–¿Sabe, linda? Este Windows es una maravilla, un genio este Gates, un genio, linda. Mire todo lo que hace este programita, Dios lo bendiga.

Y se lanza en una descripción interminable sobre las cualidades del programa que acaban de traerle de Estados Unidos.

"Al Windows 95 se le puede adosar un fax y hasta un correo electrónico, gorda. ¡Y mire esto!, usted puede escribir un documento mientras imprime otro, y usted puede salir de viaje con su Windows, realizar todos los cambios que quiera en un archivo parcial y a la vuelta el programa se encarga de incorporar los cambios a su archivo general, ¿qué le parece? Y le puede introducir un CD-ROM, usted sabe lo que es un CD-ROM, y uno puede ver en la pantalla toda la información del disco duro, y cuenta con reciclador de archivos, usted puede botar un archivo, reciclarlo y recuperarlo, ¿no le parece fabuloso? Y mire esto, gorda. ¡Ah, no! Esto sí que es increíble, se aprieta el botón de encendido, aparece el menú en la pantalla, usted va con la flecha a la función que necesita emplear, llama, cambia de sistema, pide ayuda, tiene hasta un corrector de faltas de ortografía, lo que quiera. ¿No le parece algo fantástico?"

La gorda se queda mirándolo con ganas de asesinarlo.

–¿Por qué no comemos? Son más de las doce, la Domitila está esperándote con la comida servida desde las diez.

–Al tiro, pero primero déjeme mostrarle otra cosa. Mire lo que me conseguí con Fuenzalida: una lista de todos los lugares en Estados Unidos donde es posible conseguir el Windows 95, porque ¿sabe lo que se me ocurrió hace un rato? Voy a convertirme en el representante de Gates en Chile, ¿no le parece una idea macanuda? Y voy a traer los Windows de microsoft CEO. Mañana mismo me pongo en contacto con ellos. Mire la lista, lo más completo imaginable, tengo hasta los teléfonos de servicios gratis de microsoft.

Y se lanza a leer la lista:

"Microsoft FastTips, éste es un servicio automático de teléfono, gorda, funciona todo el día, uno puede llamar y preguntar todo lo que quiera sobre los microsofts, después de comida llamamos, ¿ya? El teléfono lo tengo aquí, gorda, mire, es el 1-800-936-4200. Y aquí están las empresas, Internet World Wide Web, Internet Gopher, Internet FTP, CompuServe, Prodigy, America Online, Genie, Microsoft Winnews".

–Armando, ¿podríamos comer?

Pero el loco del microsoft ya no tiene hambre. Mientras jugaba con su computadora se ha comido un paquete de papas fritas, un paquete de almendras saladas y se ha tomado tres coca-colas.

Son las tres de la madrugada y todavía no logra conciliar el sueño. Cada diez minutos enciende la lamparilla para leer la historia de Bill Gates y su microsoft CEO. Y despierta a la gorda, por supuesto.

–¿Sabe, gorda, lo que está pasando con el Windows? Fíjese que como el Windows abarca más o menos el 80 por ciento de las funciones básicas de los computadores personales, Gates está convirtiendo su empresa en un verdadero monopolio. Es algo monumental, mire lo que dice aquí, sólo en 1995 este programa ha ganado 5.9 billones de dólares y en los años 1996 y 1997 se calcula que ganará 7.2 billones de dólares. Figúrese que la primera versión del Windows ha sido instalada en cien millones de computadores personales en todo el mundo, y de esos cien millones, el 20 por ciento contará con un Windows dentro de los próximos 18 meses; se espera que en sólo cuatro meses el Windows 95 esté instalado en 30 millones de computadores personales, y...

–Armando... ¿Podríamos dormir?

A las tres y media se levanta, saca el Laptop del escritorio y se lo lleva a la cama.

La luz del día lo pilla pulsando teclas, moviendo flechas, cambiando el cursor de lado a lado, revisando el archivo, trasladando párrafos, borrando frases, agregando cifras, todo ello en medio de un silencio y de una concentración casi sagrados, con los ojos enrojecidos por el paso de la noche en vela y encandilados ante la pantalla azulina y las letras blancas.

Son las siete de la mañana y el loco del microsoft ha dormido una hora y media. Salta de la cama, se ducha a toda carrera y se va a la oficina.

La gorda lo mira desde la ventana. Ahí va caminando, rechoncho, barrigón y desgarbado (los locos del microsoft suelen ser gordos, mal alimentados y poco atléticos), y en la esquina se devuelve.

Ha olvidado la caja con los disquetes.

–Menos mal que me acordé, gorda, si no llevo los discos me quedo sin copiar la planilla y si no copio la planilla, hoy mismo, y mañana se me olvida, imagínese lo que podría ocurrir, podría entrarle un virus, podría fallar algo, aunque este Windows es un programa maravilloso, no falla nunca, esta tarde le sigo contando, vuelvo como a las nueve.

Y se va.

EL AFICIONADO AL FÚTBOL

Hay un marido que puede ser simpático y hasta sano de espíritu, pero también es un cargante en su fanatismo: el aficionado al fútbol.

Contrariamente a lo que podría creerse, este hombre, bueno para los asados y los chunchules, no le ha pegado a la pelota ni una sola vez en toda su vida, no ha practicado nunca ningún deporte, pasa los días sentado frente a un escritorio en su oficina escuchando las noticias deportivas de la radio y hablando con sus colegas ¿de que?, de fútbol, por supuesto, y las noches las pasa pegado al televisor mirando las noticias deportivas. El fin de semana parte, como es natural, al estadio; y a la vuelta se instala otra vez ante el televisor para ver en la pantalla los goles que ya vio en el estadio y regocijarse, además, con todos los otros que los esforzados futbolistas lograron en las canchas de Chile, desde la Primera hasta la Décima región. Pero no se crea que se conforma con eso: la TV ha ensanchado su mundo de manera inconmensurable y el aficionado puede ver y ve ahora también los goles del Atlético de Madrid, del Bayern de Munich, del Torino de Italia, del Liverpool de Inglaterra. No ve los de los equipos japoneses porque parece que el fútbol todavía no ha llegado al Japón.

Si es mayor de cincuenta años recordará el Mundial del 62 como el acontecimiento de su vida, y el tercer puesto de Chile como algo sólo comparable a la gesta independentista de 1810; y si tiene menos de cuarenta, guardará en su billetera el recorte con la foto de Zamorano de rodillas, ofreciendo la camiseta merengue a los dioses tras el gol que le diera el triunfo al Real Madrid en la gloriosa e histórica liga española 1994-1995.

Los lunes serán días malditos para la señora. El aficionado pasará toda la jornada comentando el partido del domingo que pasó. Hasta el agotamiento. Con ella, con los amigos de la oficina, con el jardinero de la casa, con el hijo mayor que ya está empezando a ir con él al estadio. Y seguirá así el martes y el miércoles. El jueves y viernes su tema será otro: ahora comentará los partidos del domingo que viene.

Este hombre no tiene otro tema que no sea el fútbol, pero cuando está frente al televisor no sólo es monotemático sino monosilábico.

–Si, gorda.

–Pero ¿quieres o no quieres más ensalada de apio?

–Después, gorda.

–Después de qué.

–Del gol.

–¿Y café, vas a querer?

–No, gorda.

–¿Podríamos hablar un poco, José Luis?

–Ahora no, gorda.

–¡Entonces cuándo!

–Después, gorda.

Pero ese después no llegará nunca, porque luego del gol de los cruzados viene el empate de los azules, y enseguida hay una nueva situación de peligro, porque Gorosito viene avanzando aceleradamente por el lado izquierdo, Ronald Fuentes lo amaga pero no logra detenerlo, en las galerías empieza a sentirse el dulce mareo que llega con la proximidad del perfume de gol, pero allá está, atento entre los palos, como siempre, Sergio Bernabé Vargas, quien con una soberbia atajada hace rugir de emoción a Los De Abajo. Y enseguida....

Otro marido fanático, que también suele ser simpático, corazón de oro, pájaro de alma sencilla, pero igualmente difícil de soportar, es el agricultor.

Este marido, cuando es fanático del campo, de los chunchules, de las vacas pariendo, de su yunta de bueyes que se le perdió, de los caballos bien herrados y de los rodeos regados con chicha de Curacaví, puede ser un problema bien serio. Hasta grave.

Este hombre es una cosa inmensa, un ropero que anda tranqueando por la vieja casona, haciendo tintinear las espuelas y dejando a su paso un olor a orujo y a tabaco negro.

Tiene hambre todo el día y casi toda la noche y sus temas, como es fanático, serán siempre, en esta vida y en la otra, los quintales que va a cosechar este año, las gallinas castellanas que le van a llegar el martes y la yunta de bueyes que se perdió por allá por el Alto de Las Máquinas.

De lunes a viernes pasará en los potreros y llegará a la casa embarrado basta el cogote, se encerrará en el baño y se lavará con meticulosidad y luego se sentará a la mesa del comedor antiguo que heredó de su abuelo y allí, callado como tumba (porque cuando come no habla), se comerá las humitas, los porotos granados, la cazuela de pava, los picarones y las sopaipillas que le habrán preparado entre doña Cleme y la señora.

–Estaba rico, mija. Venga para acá. Acompáñeme al corredor, quiero ver si va a llover, porque sabe, mija, que si no llueve, ya me dijo Toño, el trigo no levanta, pero va a llover, él anduvo por el Alto buscando a Fulgencio y a Primitivo y dice que por allá estaba cayendo un poco de agua, ¿no le dije que Fulgencio y Primitivo se escaparon anoche? Ay, mija, si con los bueyes sí que hay que tener harto cuidado, uno les da la mano y se toman el codo, yo le dije a Toño, no andís con tonteras, Toño hombre, hácele caso a don Panta, pónele alambre púa a esa cerca será mejor.

El sábado toca el asado con los amigos de los fundos vecinos, otros agricultores, inmensos como él, que llegan a las tres de la tarde al asado, se quedan toda la tarde comiendo chunchules, asado de tira, chuletas de cordero, choripanes con palta y cebolla, cabrito al palo, pastel de choclo, empanadas de horno, todo preparado por la Cleme y la señora, y a las doce de la noche se van.

–Estuvo rico, mija. ¿Sabe qué me dijo Colaco Sánchez? Que allá en el Alto vieron a Fulgencio y lo que yo me pregunto es si Toño estará ciego o qué, mañana mismo le digo oye, Toño, déjate de payasadas, pues hombre, si te mando pal alto es para que me traigai al buey no para que te quedís boquiando y me digai que el buey no andaba por esos lados.

Al día siguiente a las dos de la madrugada.

–Algo se anda trayendo Toño debajo del poncho, me tiene desvelado este hombre, hoy me encontré en el club con Colaco Sánchez y qué me dice usted que Colaco anduvo por allá por el Alto y está más que seguro de haber visto a Primitivo pastando en los alfalfales de don Panta. ¿Por qué no me alcanza un vaso de agua, mija? Mañana mismo le digo a Toño ya pues, Toño, ¿no vis que me cuesta harta plata engordar animales?

Esa noche pasadas las diez:

–¿Sabe, mija? Le tengo buenas noticias. Toño llegó con Primitivo de vuelta y a que no adivina lo que le dije, no le dije ninguna mala palabra, pero le dije sabís, Toño, que me tenís bien cansado con esto de que andai negándome que le pasai los bueyes a don Panta, así que si no enmendai la plana vay a tener problemas conmigo, hombre, y, mija, no sabe la cara que me puso, mañana mismo hablo con don Panta, porque estas cosas hay que dejarlas bien claritas, cosa de no tener el día de mañana complicaciones, alcánceme un vaso de agua, mija, por favor…

Dos noches más tarde, poco después de las doce:

–Que lleve dos días sin encontrar a don Panta en ninguna parte es para no creerlo, mija. Voy y le digo a Toño, anda, Toño hombre, déjate de payasiar conmigo, ¿viste o no viste a don Panta en el Alto? Y él se queda mirándome de medio lado, huaso ladino, y ¿qué cree que me dice? No, pues, don Pancho, cómo quiere que haya visto a don Panta si don Panta se murió. ¿No ve que andaba por allá por el Alto cuando le patió la sandilla con el tinto que se había tomado en la casa de ña Zulema y dicen que quedó igual que un buey, de espaldita en el potrero, con la mirada güera y las patas apoyadas en el cielo?

Así me dice Toño y entonces, mija, ¿qué cree que hago yo? Me voy a todo galope, reventando a la Nieblina hasta la casa de la Zulema y ¿me va a creer, mija, que todo no era más que invento de Toño? Don Panta no ha estado renunca en esa casa, la Zulema todavía no cosecha sandías y el chiquillo de don Panta, que andaba por ahí jugando al trompo, me dijo que su papá estaba en San Ignacio con Mardoqueo.

Mañana hablo con Toño por última vez, porque usted no a creer cuando yo le diga que Fulgencio y Primitivo se volvieron a escapar y eso que habíamos cercado con alambre de púas con Evaristo, alcánceme el agua, mija, a ver si puedo dormir...

EL POLÍTICO

De todos los maridos fanáticos que hay en Chile, uno de los más fanáticos, estoy casi segura, es el político.

Decíamos que los hombres suelen ser obsesivos con lo que hacen, si a esto se suma que el chileno es uno de los pueblos más politizados del mundo, para qué le digo lo que ocurre cuando el marido no sólo es fanático sino que, además, es fanático de la política.

Si no es de tradición radical, este marido será casi siempre flaquito, medio esmirriado, prematuramente calvo y con los nervios a punto de rompérsele. Suele tener angustias, duerme a saltos, toma pastillas para la memoria y no sabe lo que come.

Ha entregado la vida a la política, le ha regalado el alma a la política, quiere llegar a ser Presidente, cueste lo que cueste, vive obsesionado por aparecer en la prensa, pena y muere por ser entrevistado en televisión, y cuando no está hablando por teléfono con algún otro político que lo llama a la casa a las nueve, a las diez, a las once de la noche y a la una de la madrugada, está leyendo la página editorial de *El Mercurio*, el último artículo que mandó su amigo el ministro a *Qué Pasa* o mirando las noticias y saltando de la televisión al teléfono y del teléfono a la televisión.

–¿Bertita? Cómo le va Bertita, ¿está el ministro? ¿Está? Dígale que ponga el 13.

Regresa a la televisión y al poco rato suena su teléfono.

–Gordo, te llama Samuel.

Vuelve al teléfono.

–¿Samuelito? ¿Viste el 13? ¡Qué me dices!

Y vuelve a la televisión.

Si tiene un cargo relativamente importante, la

casa pasa llena de gente, se reúnen en el escritorio, la Cleme tiene que llevarles gin con gin si son más de las ocho de la noche, jugos de manzana y agua mineral si son las cuatro de la tarde y café cargado si son las dos de la madrugada.

Cuando cae en desgracia, la mujer, los niños, la Cleme y su mamá tienen que recogerlo con pala. Está destrozado, le han aparecido tres tics que antes no tenía, no sólo ha perdido la elección, además lo han insultado por los diarios y una revista comunista ha insinuado que él manejó mal los fondos del partido; sus mejores amigos, los que él creía que eran sus mejores amigos, lo han traicionado, intentó pedir una audiencia con el ministro y el ministro le mandó a decir con la Bertita que estaba en una reunión, eso nunca le habría ocurrido antes. Se ha quedado sin sueldo, pero lo peor es que se ha quedado sin plata, la que tenía la gastó en la campaña, está endeudado con tanta gente que no se atreve a salir a la calle.

–Yo no sé qué haría sin usted, gorda –le dice una noche a la señora y diez minutos más tarde se sienta en la cama, se aprieta el pecho con la mano derecha, se le ponen redondos los ojos, la señora lo mira espantada, ¿qué le pasa, lindo? Y él cae hacia el lado izquierdo de la cama y se queda ahí, con los ojos fijos en la pared, como si la muerte fuese un cuadro.

Ha muerto de un infarto al corazón.

El marido escritor es un problema sin remedio conocido y vivir con él será más difícil que vivir con cualquier otro ser humano. Es un hombre torturado, esclavo de sus fantasmas y de su ego. Sobre todo de su ego.

Cuando no está escribiendo su novela pasa gran parte del día y de la noche luchando con ideas que lo asaltan, títulos de novelas que lo desvelan, personajes que de pronto, dice él, lo invaden, temas que a las once de la noche le parecían perfectos para su próximo libro y que a las doce y media ha desechado.

Entre libro y libro las manías del escritor son relativamente manejables, aún no ha entrado en funciones y hace una vida más o menos normal, pero cuando ya tiene el tema de su libro bien cocinado en la cabeza, y comienza a trabajar, entonces las alternativas de la señora quedan dramáticamente reducidas a dos: se queda en la casa con él y se vuelve loca, porque el marido no la dejará en paz, ni de día ni de noche, leyéndole trozos, capítulos enteros y frases sueltas de su manuscrito, o se va de la casa y se vuelve loca, porque el marido la ubicará donde sea que se encuentre, para leerle el manuscrito por teléfono.

La mujer del escritor fanático sabe que no tiene salida, entonces se queda, y el mismo día en que el marido termina el primer capítulo del libro, comienza la función:

–Gorda, ¿le importaría mucho que le leyera el

comienzo de mi novela?, sólo un párrafo, me interesa su opinión.

Antes que la gorda abra su boca para decirle Bueno, ya, lea, él ha comenzado la lectura:

"Me siento preocupado y triste. La muerte de Ana me ha dejado sumido en una gran melancolía. Por las tardes me entra una congoja ancha y ajena a mí y en las noches me doy vueltas en la cama y a veces veo a una señora vestida de blanco que lo mira todo con tristeza y no me dice nada. Cierro los ojos para no verla e intento dormir, pero no puedo. La señora sigue estando donde mismo.

"El día del entierro escuché las palabras compasivas de la gente como si vinieran desde lejos. Por un instante tuve la sensación de que ésa no era la iglesia de San Pedro, quienes me hablaban no eran personas que yo conocía, la llovizna estaba cayendo en otra parte, todo aquello le estaba ocurriendo a otra persona".

–¿Le gusta? ¿Va entendiendo de qué se trata?

–Bueno, todavía no –dice la gorda–. Ana se murió, ¿verdad?

–Voy a leerle otro poco para que entre en el tema.

"En la noche, de vuelta al silencio de nuestra vieja casa de la calle Lyon, deambulé de cuarto en cuarto sin poder llorar. El recuerdo de Ana me atenazaba el corazón.

"Fue entonces cuando vi a la señora por segunda vez. La había visto antes en la iglesia, junto al ataúd de Ana; me había lanzado una mirada fugaz y luego había desaparecido entre las piernas del cura, como un reptil".

–¿Le gusta esa última frase? ¿Está bien, verdad? ¿Le sigo leyendo?

–Siga leyendo, no tengo mucho tiempo, eso sí, porque tengo que ir a la feria a comprar la verdura.

Y él sigue:

"Ahora ha vuelto, está de pie junto a la ventana del comedor y hace un rato, cuando entré a esta pieza, tuve la impresión de que había estado esperándome. Tiene los ojos blancos y la sonrisa ambigua. Me asusta.

"Salgo del cuarto dando un portazo, no por ser descortés con ella sino por asegurarme de que va a quedar encerrada en la pieza. Luego me hundo en pensamientos inconexos y me duermo".

–¿Qué le parece?

–Bien, me parece muy bien.

–¿Le sigo leyendo?

–No, ahora no, lindo. Son las tres y media y la feria va a cerrar. Dejémoslo para más rato.

–Al día siguiente a las once de la mañana:

–¿Gorda? ¿Dónde anda? ¿Le importaría que le leyera el párrafo que acabo de terminar? Es que tengo una duda y me gustaría consultarla con usted. Su criterio me interesa.

La gorda acerca una silla, se sienta frente a él, cruza las manos sobre su regazo y escucha pacientemente:

"Hace un rato llegó la carta de mi amigo. El cartero acaba de marcharse y la carta ha quedado junto a las de ayer, en la mesa de la cocina.

"En el curso de esta tarde la he visto dos o tres veces, las dos o tres veces que entré a la cocina. Es fácil fijarse en ella puesto que es la única cuyo sobre no es blanco sino azul; sin embargo, no la he abierto, tengo la extraña sensación de que se trata de otra mala noticia, al menos de una noticia deprimente y después de la muerte de Ana no me siento capaz de asimilar nuevas tristezas",

–Lo que quiero preguntarle es si se entiende que la carta del amigo le llegó por el mismo tiempo en que se murió Ana. ¿Se entiende?

–Claro que se entiende.

–Ah, qué bueno. ¿Y le gusta cómo va la novela?

–Sí, me gusta mucho –dice ella levantándose para ir a la feria, porque ayer no alcanzó, pero él la retiene un rato más:

–No, no se vaya todavía, déjeme leerle un párrafo que me interesa mucho que escuche.

Y se lanza:

"Desde que Ana enfermó, la existencia me ha parecido un constante despedirse de algo. Cada mañana, junto con despertar, la observaba un rato, a ver cómo la había dejado la noche, y cada mañana había algo de Ana que ya no estaba, algo que se había ido mientras ella dormía. A veces era otro mechón de su cabello, a veces el brillo de sus labios y en ocasiones, cuando abría los ojos sintiendo mis miradas, era su sonrisa que se esbozaba más leve y desdibujada que la del día anterior".

–¡No me diga que aquí no hay lenguaje, gorda!

–Está muy bien, pero ahora tengo que irme a la feria.

–Espérese un poquito, un último párrafo, es que su opinión es de oro para mí. Voy a leerle un trozo que a mí me encanta. Creo que es uno de los mejor logrados. Escuche:

"Ana fue consumiéndose. Había días en que le rogaba que me hablara, dime algo, Ana, dime lo que sientes, dime si tienes miedo, háblame de tu muerte, conversémoslo, y ella se quedaba mirándome en silencio, era un silencio agradecido, yo me daba cuenta de ello, pero hubiese preferido alguna palabra, algo que me indicara que ella era tan frágil como yo. Otras veces, después de permanecer ambos callados durante un tiempo largo, ella me miraba tiernamente y me decía: "Me gusta que me cuides porque respetas mis silencios".

–¿Qué le parece?

–Triste, me parece triste, pero está muy bien.

–¿Demasiado triste? ¿Cebollero? ¿Le parece creíble? ¡No me diga que no le parece creíble! ¿No se da cuenta que se trata de un viudo que está recordando a su mujer que acaba de morir? No le leo nada más. Claro que es triste, nunca ha sido alegre la muerte de la mujer. Se enoja el escritor y guarda las páginas para más tarde.

A las diez de esa misma noche:

–¡Gorda! ¡Por fin solucioné lo de la carta! Mire:

"Antes de apagar la luz me acuerdo de la carta de mi amigo y pienso que debía bajar a buscarla, pero no voy".

–¿Sabe cómo lo arreglé? Voy a dejarlo divagar sobre la muerte de Ana, por lo menos una semana, y la carta del amigo seguirá en la mesa de la cocina y cada vez que él baje a buscar un vaso de agua o que entre de la calle a la cocina verá la carta pero no la abrirá. ¿No le parece una idea genial para mantener el suspenso? ¿Qué cree usted que dice la carta?

–No sé, lindo. ¿Cómo quiere que sepa lo que dice?

–¿Quiere que le diga lo que dice? Veinte páginas más adelante aparece, mire:

"La carta de mi amigo acapara mi atención de nuevo. Voy saliendo de la pieza y veo el sobre azul en el suelo, seguramente ha caído de la bata al sacármela.

"Esa vez lo abro. Es un papel casi en blanco donde hay escrita una sola frase al centro de la página.

Me ha ocurrido algo extraordinario. Ven.

"Eso es todo. No dice nada más".

–¿Qué le parece?

–Bien, me parece estupendo.

–Lo que va a ocurrir es que una semana más tarde, Alberto decide ir a ver qué le ocurrió al amigo y entonces....

–Sí, pero no me cuente más.

–¿Le sigo leyendo?

–No, ahora no, ahora tengo que ir a buscar a la Cata al colegio.

–Ah, bueno, esta noche le sigo leyendo.

Y así continuará, todos los días, hasta que termine la novela y la gorda deberá sentarse por última vez frente al escritor para que él le lea el último párrafo.

En la vida real han pasado tres años, en la novela veintidós. Ana se le aparece a Alberto en la misma casa del principio. Alberto se encuentra en su lecho de muerte.

"Tiene la piel gris, está tan delgado que en cualquier momento puede desaparecer, alrededor de sus ojos tiene una aureola negra, sus pupilas cansadas se hallan fijas en la muerte y la muerte se encuentra sentada a su lado, se observan en silencio pero no se dicen nada. De pronto se abre la puerta y entra Ana:

–"Para todo en la vida se necesitan dos, pero la muerte es un asunto solitario –le dice acercándose a su cama".

–¿Le gusta este final, gorda?

Ha pasado mucho tiempo escuchando trozos y ella no tiene clara la novela en su totalidad, pero el final le gusta porque es el final del libro.

–Me encanta.

LA DÉCIMA:

ESCRIBIR UN LIBRO COMO ÉSTE

"Gracias a la vida que me ha dado tanto;
me ha dado el oído que en todo su ancho
graba noche y día, grillos y canarios,
martillos, turbinas, ladridos, chubascos
y la voz tierna de mi bien amado".

(*Gracias a la vida,* canción de Violeta Parra)

Cuando usted era chica la llevaron a la pieza de su abuela.

Al fondo de la pieza había una cama de bronce. Nunca olvidará esa imagen; hasta ahora, cuando cierra los ojos, vuelve a ver el cuarto casi sin muebles con la cama de bronce al fondo.

La vieja yacía en la cama bajo una manta de castilla. Algo húmedo y a la vez helado se palpaba en el aire. Entraba un poco de luz por la ventana, a la derecha del perchero colgaba el retrato del abuelo, en un rincón había una cómoda de caoba y un sombrero negro colgaba del perchero. No había nada más en todo el cuarto.

Su abuela tenía la misma cara de niña de la foto que estaba en el living de su casa, pero había enflaquecido de tal forma que parecía otra. Tenía el cuello como el cogote de un pájaro viejo y las manos tan tiesas y los ojos tan apagados, que usted se confundió, y en vez de decirle "buenas tardes abuela" le preguntó si estaba en esta vida o en la otra.

–"En ésta, todavía –murmuró la vieja haciendo un esfuerzo por sonreír y luego le pidió que se acercara.

Cuando usted estuvo al alcance de su mano flaca, la vieja le acarició la cabeza y le dijo:

–Mira, Catita, quiero decirte algo antes que me muera: en Chile las mujeres…

Y no alcanzó a terminar la frase porque la muerte no quiso esperar más rato, estaba cansada, venía llegando de otro viaje, así que tomó a su abuela de la mano sin preguntarle nada y se la llevó.

–¿Qué habrá querido decir mi abuela, mamá? –le preguntó a su madre cuando cumplió los catorce años y ella se quedó mirándola con esa tristeza que le había entrado en los últimos tiempos y después de un rato le contestó enrabiada:

–Que los hombres son unos sinvergüenzas, pues, Cata, qué otra cosa iba a querer decir.

–Pero ella no habló de los hombres, habló de las mujeres.

–Por lo mismo.

Su padre había salido a comprar cigarrillos hacía poco menos de un año y había vuelto hacía menos de una semana y su mamá todavía no lo perdonaba.

Siguió pasando su propia vida y se casó. Su marido salió a comprar cigarrillos y usted se separó. Después se casó de nuevo. Tuvo un hijo con el primer marido, dos hijos con el segundo, un amante democratacristiano entre un matrimonio y el otro, dos amigas que intentaron suicidarse, una depresión profunda, años felices que se deslizaron por la vida con suavidad, años tristísimos, como todas las mujeres.

Al final del cuento, cuando ya está vieja para casi todo, menos para pensar y recordar, decide escribir un libro como éste.

No lo haga. Guarde su lápiz y dedíquese a ser feliz.

Los libros dicen cosas, abren sepulturas, iluminan espacios, denuncian, pegan gritos, desnudan y los chilenos nunca hemos sido amigos de este tipo de strip-tease. Ahora menos que nunca. La sociedad chilena se estancó. Los "tigres de América Latina" son tigres, pero solamente a partir de cifras. A la hora de enfrentar la modernidad, a la hora de discutir los grandes temas de una sociedad moderna, la igualdad, la justicia y la verdad, esta sociedad se estancó, se metió dentro de una cárcel tras cuyos barrotes se esconde un tremendo temor a la libertad. Los temas de la cotidianeidad no se hablan; la palabra aborto está prohibida, amén de que ni siquiera hay espacio para una discusión; el divorcio es un tema ante el cual muchas personas se escandalizan; existe una moral pública y una moral privada, existe un discurso público y un discurso privado; la gente no dice públicamente lo que siente, no se atreve a expresar lo que cree. Y miente.

Faride Zerán lo pone así: "Lo que hay aquí es una esquizofrenia, una esquizofrenia instalándose en la sociedad chilena, algo muy complicado y peligroso porque está reduciendo lo público a una gran mentira y lo real, que en definitiva no pasa por esa esfera pública sino por otra instancia, es lo que se considera "marginal". Lo que hay aquí es un país real que mira, asombrado, cómo se ha instalado una cosa muy formal que no da cuenta de lo que ocurre, de lo que son los sentimientos, las sensaciones, las opiniones, los criterios de este país".

Escribir un libro en cualquier parte es peligroso, en Chile es doblemente peligroso. Un camino corto para convertirse en delincuente es publicar un libro en un país que le tiene miedo a la libertad, así que si a usted se le ha ocurrido la idea de lanzarse en una aventura parecida a aquella, guarde su lápiz y dedíquese a vivir tranquila. ¿Para qué exponerse?

Una mujer en Chile debe escribir libros, claro que sí, hoy por hoy todo el mundo escribe libros, debe hacerlo, pero hay que buscarse temas que no le traigan problemas:

Un libro de primeros auxilios, por ejemplo, es una excelente idea. O un libro con letras de canciones mexicanas: "...el tren de la ausencia llegó, / mi boleto no tiene regreso, / lo que quieras de mí te lo doy, / pero no te devuelvo tus besos..." Nadie la atacará si escribe un libro así.

Otra publicación que no le traerá mayores problemas es un libro de cocina.

Salsa para ostiones

En una ollita coloque el aceite de oliva y caliéntelo. Añada las chalotas picadas finitas y fríalas dos minutos más. Luego añada el Grand Manier y flambéelo. Cocínelo todo por dos minutos. Añada la media taza de jugo de naranjas, un buen puñado de cilantro y el ají picadito, revuélvalo un poco y sirva la salsa encima de los ostiones asados.

Pesto de cilantro

Meta un buen puñado de cilantro a la licuadora. Con la licuadora corriendo añádale el jugo de medio limón, media taza de aceite de oliva, media cucharita de comino, sal y pimienta. Y listo su pesto. Bueno para salsas, tallarines, huevos duros cocidos, papas asadas y pescado a la parrilla.

No le van a dar la beca Guggenheim para escribir su libro y es probable que tampoco obtenga fondos del Fondart, pero nadie va a pelarla, su marido va a estar feliz y la gente que la conoce dirá que usted es un amor.

También podría intentar escribir un libro con sugerencias de títulos para novelas y libros en general.

Los escritores suelen volverse locos buscando títulos para sus novelas y no habrá nada que le agradezcan tanto como este libro. No tendrá ningún problema con los críticos, su libro contiene solamente los títulos de noveles que aún no se han escrito, así que no la podrán despedazar y no tendrá ningún problema con el enojo social, su libro no ataca a nadie, no ofende a nadie y no apunta a nadie con el dedo.

"Los Pensamientos del Tigre Dormido"
"Mi abuela rezaba el rosario fumando Pipa"
"Amor, furor y fricasé"
"A la orilla del relámpago"
"Arráncame el corazón, pero págame las cuentas"
"Nosotros que no nos atrevíamos"
"Pedro Sol"
"Los cuentos de Pedro Sol"
"Cómo subir la Costanera y llegar a la casa vivo"
"Las diez cosas que un hombre, en Chile, debe hacer de todas maneras"
"Muñeco de Trapo"
"Tres Laberintos y una Puesta de Sol"
"Megamaneras para Enriquecer Dormido"

Otro libro que no le traería problemas es un libro de cantos religiosos antiguos, recopilados en los campos. Esos cantos maravillosos que se entonaban durante las misiones, al final de las misas o en las procesiones.

Alabado sea el Augusto

Sacramento del altar
y por siglos infinitos
ensalzada sea su deidad.

Los ángeles todos
van cantando en coro
que sois casa de oro
torre de marfil.

O un libro de dichos, refranes y adivinanzas, ningún chileno se molesta con este tipo de publicación, los hombres menos que ninguno.

"La mujer y la sardina, mientras más chica más fina".

"De azul se viste la viuda.
De amarillo la casada.
De blanco la doncellita
De verde la enamorada".

"Primero tu tía Margarita y luego tu tía Margara".

"Si supiera el muerto que yo ando con la viuda volvería a morir en la sepultura".

"Eres linda entre las lindas,
linda sin comparación
linda tu padre y tu madre,
y toda tu generación".

"No falta un roto para un descosido"

"Pobrecitos los feos si no hubiera malos gustos"

Ese libro sería un "worst seller", estoy casi segura, no aparecerá nunca en la lista de los libros más vendidos, pero usted podría seguir durmiendo tranquila y no se convertiría en delincuente por haber escrito un libro.

La antología es otra buena posibilidad. Una antología de entrevistas, por ejemplo, suele dejar contento a todo el mundo. En general, el entrevistado le habrá pedido el favor de mostrarle la entrevista antes de su publicación.

–No es que quiera cambiarle nada, ni desdecirme de lo que dije pero, usted sabe, a veces uno no ha sido lo suficientemente claro o se ha expresado mal o quedan cosas en el tintero.

La periodista se la muestra, él insinúa unos cambios por aquí y unos cambios por allá, ¿le importaría sacar esta palabra, sólo ésta? y finalmente da su visto bueno.

Si tres años más tarde vuelve a encontrar su entrevista en una antología, mejor que mejor. Este tipo de libro no encierra el menor peligro.

Los libros para niños también suelen contar con la aprobación general y tampoco encierran mayores peligros. Siempre que sean estrictamente para niños.

Tengo una amiga inglesa que se ha ganado la vida escribiendo libros de cuentos de hadas para niños:

"... Y entonces el príncipe y la princesa se casaron y tuvieron muchos hijos y vivieron felices para siempre en el palacio del rey, en Londres en invierno y en Escocia en el verano. Terminaron sus vidas tomados de las manos junto a un lago de aguas cristalinas, donde nadaban cisnes de plumas albas, revoloteaban alondras anaranjadas y un sapo encantado tocaba un vals".

Cuando la familia real entró a la vida moderna, mi amiga cambió un poco el estilo de sus cuentos.

"... Y entonces el príncipe y la princesa se casaron y a la semana de casados comenzaron a engañarse mutuamente, él con una amiga de la infancia, ella con un capitán del reino, y a poco caminar comenzaron a publicarse libros lúdicos donde se explicaba que la princesa sufría de bulimia y lo vomitaba todo, había intentado suicidarse lanzándose por la escalera del palacio del rey y el príncipe, lejos de importarle un rábano que su señora se cayera escalera abajo, la trató de histérica, le pegó una cachetada y le sacó sangre de narices y después se fue a charlar por teléfono con su amante, hasta que un día el rey y la reina y todos los súbditos del reino se declararon hasta más arriba de la coronilla con tanto escándalo y dejaron que el príncipe y la princesa hicieran lo que les diera la gana, porque a ellos ya les daba lo mismo casi todo".

El libro de mi amiga fue un "best seller", se vendió como pan caliente, se agotaron veinticinco ediciones en seis meses y mi amiga tuvo que escribir *La Historia del príncipe y la princesa II.*

Pero, claro, esto ocurrió en Inglaterra...

En Chile las cosas se pueden pensar y soñar, hasta pueden hacerse, pero no conviene hablar de ellas en voz alta y, desde luego, no conviene escribirlas.

Ahora bien, si usted es porfiada como vasca, y le da y le da con que tiene cosas anidadas en el corazón desde que murió su abuela, y el recuerdo de aquel cuarto semivacío de paredes blancas, en uno de cuyos rincones se encontraba la cama de bronce, la despierta en medio de las noches, y los ojos de su abuela flacuchenta en su lecho de muerte y su voz cascada intentando decirle algo sobre las mujeres en Chile no la dejan vivir tranquila, y ya cree saber lo que quiso decirle la vieja, y en honor a la cara de ángel de su abuela dormida quiere escribir un libro como éste... Escríbalo, no más.

Sus nietas se lo van a agradecer.

Wallingford, EE.UU., 1995.